O PODER DO RECOMEÇO

CLEITON PINHEIRO

O PODER DO RECOMEÇO

Os 7 passos para **RECOMEÇAR** da maneira certa

CITADEL
Grupo Editorial
2022

O poder do recomeço

3ª edição: Outubro 2024

Autor:
Cleiton Pinheiro

Preparação de texto:
3GB Consulting

Revisão:
Daniela Georgeto

Projeto gráfico e diagramação:
Plinio Ricca

Capa:
Jéssica Wendy

Impressão e acabamento: Gráfica Plena Print

DADOS INTERNACIONAIS DE CATALOGAÇÃO NA PUBLICAÇÃO (CIP)

Pinheiro, Cleiton
O poder do recomeço : os 7 passos para recomeçar da maneira certa / Cleiton Pinheiro. — Porto Alegre : Citadel, 2022.
144 p.

ISBN 978-65-5047-174-3

1. Desenvolvimento pessoal 2. Autoajuda 3. Sucesso I. Título

22-4022 CDD - 158.1

Angélica Ilacqua - Bibliotecária - CRB-8/7057

Produção editorial e distribuição:

CITADEL Grupo Editorial

contato@citadel.com.br
www.citadeleditora.com.br

SUMÁRIO

PREFÁCIO

Imagine alguém empilhando latinhas de metal para formar uma torre. E num descuido, absolutamente sem querer, essa pessoa esbarra em uma das latinhas da base, todas vão ao chão, e ela precisa recomeçar o trabalho. Sei que muitos vão olhar a cena e sentenciar: recomeçar é um "atraso de vida".

Ou, então, podem pensar: quem recomeça perde tempo.

Se você pensa assim, hoje é o dia de mudar a forma de ver as coisas. Você precisa entender o poder que há no recomeço para aproveitar ao máximo cada linha deste livro e seguir a rota que vai te levar ao futuro que tanto deseja.

Se um motorista está dirigindo com auxílio de GPS e entra numa rua que não deveria, o aplicativo irá, automaticamente, recalcular a rota. Em muitos momentos da vida, precisamos, além de uma nova rota, de um novo destino. Isso vale para a vida profissional, emocional, financeira e espiritual.

Lembre-se de que Deus também precisou recomeçar. Afinal, não é isso que nos mostra a história de Noé?

Entenda: não se trata mais de "começar de novo" e "perder tempo", e sim de começar certo, com as ferramentas certas e na direção certa.

O poder do recomeço vai te ajudar nessa jornada, pois Cleiton Pinheiro, grande gestor de pessoas, é especialista no assunto.

Ele já precisou recomeçar muitas vezes e aprendeu na prática o que deve ser feito em cada etapa.

Nos últimos anos, Cleiton tem sido um grande consultor para o Instituto Destiny e uma espécie de farol para seus alunos e mentorados.

Aproveite as lições deste livro e saiba que quem recomeça acelera o próprio destino.

Paz e prosperidade,
Tiago Brunet

INTRODUÇÃO

Alguma vez na vida você já deparou com um cenário do qual gostaria de fazer parte, mas cuja chance de acontecer era praticamente zero, devido à sua condição financeira ou até mesmo intelectual?

Ou, de repente, você estava assistindo a um filme ou série e viu algo que gostaria de viver, porém, por mais que você trabalhe e faça as coisas da maneira correta, é como se fosse impossível viver aquilo?

E por que inicio a introdução com essa reflexão?

Porque, antes de falar um pouco do aprendizado que você terá neste livro, é importante entender que a limitação está somente em nossa mente; se você não acredita que algo possa acontecer, é impossível que realmente aconteça. Assim como você pensa, assim você é!

Por muitos anos na vida presenciei situações, tinha desejos e sonhos, mas achava que aquilo não fazia parte da minha realidade, ou pensava que não tinha nascido para aquilo.

E hoje entendo que meu maior limitador era eu mesmo, ou seja, a mentalidade que eu carregava determinava os lugares que eu frequentava, as roupas que eu comprava e as pessoas com quem me conectava.

Além disso, eu não escutava a minha esposa, Luciana, como deveria; sempre me achava superior, e, de tudo que ela falava, boa parte entrava por um ouvido e saía pelo outro. A mentalidade que eu tinha me impedia de ouvir a mulher sábia que Deus colocou em minha vida.

Nossa mentalidade estabelece limites que só conseguimos quebrar com a mudança de *mindset*, porque, se buscamos mudar algo na vida, o primeiro lugar onde isso precisa acontecer é na nossa mente. É importante entender isso.

Outro ponto importante: **você só muda o que identifica**. Aprendi isso com o Tiago Brunet no primeiro curso que realizei com ele pelo Instituto Destiny. Isso quer dizer que, se você estiver cometendo um erro, só saberá no momento em que alguém sinalizar ou você conseguir identificá-lo sozinho, mas esse processo é mais difícil.

Esse curso mudou completamente a rota da minha vida. O que aprendi com o Tiago naqueles três dias me trouxe para uma realidade muito diferente da que eu imaginava. Conforme ele compartilhava seu conhecimento, eu identificava e as fichas caíam, uma atrás da outra, e eu era tomado por um sentimento estranho. Vergonha, mas ao mesmo tempo esperança. Porque entendia que era possível recomeçar. Só precisava me permitir.

Por isso, esteja atento ao que as pessoas estão lhe falando no dia a dia.

Minha vida não foi diferente da sua. Cometi vários erros que somente com o passar dos anos identifiquei serem prejudiciais.

Eu tinha conflitos com minha família, no trabalho eu não crescia na velocidade que deveria estar crescendo, e a vida financeira era um dos meus maiores desafios, porque eu praticamente trabalhava para pagar contas.

Não frequentava os lugares que queria nem comprava as coisas que desejava; o dinheiro era que determinava os lugares e o que eu poderia comprar. Porque, dentro desse processo, eu era escravo de três coisas: da minha mentalidade, das minhas emoções e, principalmente, do dinheiro.

E mesmo com todos esses desafios da escravidão e com os complexos de inferioridade que eu carregava, junto com as crenças que me acompanhavam no dia a dia, consegui reverter o cenário, a ponto de começar a escrever este livro em uma viagem a Dubai, na classe executiva de uma grande companhia aérea. Alguns capítulos do livro também foram escritos durante uma das minhas idas a Israel. Percebeu o nível da mudança?

Uma informação importante é que neste momento estou com 43 anos, e só fiz minha primeira viagem de avião aos 36, por meio de um convite feito pelo Tiago Brunet para acompanhá-lo em uma viagem à Argentina a fim de participar de uma conferência.

Dependendo do seu nível atual, isso não representa algo tão relevante ou importante. Pode ser que, para você, uma viagem a Dubai ou a Israel seja algo muito natural. Mas, no meu caso, pela infância que tive e pelas condições financeiras em que vivia, essas viagens eram impossíveis aos meus olhos.

A questão é: *como você conseguiu mudar tanta coisa em sua vida, Cleiton, em tão pouco tempo?*

A resposta é simples e direta: eu tive que recomeçar!

E esse recomeço foi feito cumprindo princípios milenares, porque Deus fez parte dessa jornada. Assumi o comando da minha vida, tornando-me protagonista dela. Até então, quem a estava comandando eram minhas emoções.

E foi somente com esse processo de recomeço que as coisas realmente começaram a tomar um rumo diferente.

Por isso, para recomeçar, você precisará entender três coisas importantes nesse processo, e que o ajudarão muito nesse início.

1. Identifique com clareza o seu cenário atual por meio do autoconhecimento, a ponto de ficar inconformado com a vida atual que está levando e com os resultados que está obtendo. Para isso, você precisa se aprofundar em sua história e avaliar cada detalhe das lembranças que traz na memória e o impacto que elas causam nos dias atuais.

2. Frequente ambientes que despertem em você o desejo de ficar com a boca fechada e apenas ouvir. Simplesmente porque você ficará tão fascinado com as pessoas desse ambiente que não vai querer perder nenhuma vírgula do que está sendo falado e compartilhado. Acredite em mim, ao final desses encontros você será o que mais evoluiu e cresceu, simplesmente porque ficou de boca fechada e acabou retendo mais conhecimento.

3. Pare de achar que é normal ser conduzido pelo seu sistema emocional, e que é assim que as coisas funcionam, porque não é! Se você não está no comando da sua vida, pode ter certeza de que

suas emoções estão, e por isso você fala de um modo que precisa pedir desculpas e acaba se arrependendo das decisões que toma, o que o deixa paralisado diante das oportunidades que surgem; e, por isso, você não consegue tomar a decisão de que precisa.

Com esses três pontos colocados em ação, a vida se torna mais prática, e a velocidade com que as coisas acontecem é maior. Eu não disse que se tornam fáceis, mas posso garantir que ficam mais leves.

Entenda que nossa vida pode ser pesada ou leve, o que determina isso é o ângulo pelo qual você olha. Até mesmo quando está diante de um cenário difícil, sempre há um ângulo positivo para se olhar. Porém, para que isso aconteça, você precisa querer e se permitir.

Sempre busco olhar o lado positivo das coisas e entender qual aprendizado Deus quer me trazer ao permitir que algo aconteça comigo. Isso me ajuda a ter dias mais tranquilos e leves, maior capacidade de resiliência, mesmo diante de cenários adversos.

Os dias difíceis e os cenários adversos sempre existirão, a Bíblia fala sobre isso; porém, se você fizer a leitura correta, o que parece o fundo do poço, para você, na verdade poderá ser visto como processo. E, se é um processo, quer dizer que você está sendo preparado para algo maior. Por isso, não reclame quando estiver no "fundo do poço", é só o processo.

Esse recomeço pode ser feito em áreas específicas ou na vida de uma maneira geral. A escolha, nesse caso, é sua.

O tipo de recomeço que você necessitar realizar determinará o tamanho do processo em que estará inserido.

Tive que recomeçar as áreas mais importantes da minha vida, por isso o processo se tornou doloroso em alguns momentos e prazeroso em outros.

Tive várias conquistas nesse meu processo de recomeço. Eu e minha família nos convertemos, o relacionamento com minha irmã passou a ser saudável, de irmãos, e comecei a honrar meus pais como a Bíblia nos ensina. Até então, não tinha entendimento sobre o que era honrar pai e mãe.

Dentre essas várias conquistas, eu queria, de maneira resumida, compartilhar uma com você. Em 2021, convidei meus pais para virem ao meu apartamento, que eu e Luciana tínhamos acabado de comprar e reformar. O apartamento ainda não estava pronto, alguns móveis não haviam chegado.

Quando eles entraram, ficaram maravilhados, porque, de onde viemos e com as dificuldades pelas quais passamos, um apartamento daqueles era algo impossível de se imaginar ter um dia. E de repente a minha mãe começou a chorar, e meu pai também; quando me dei conta, a lágrima já estava correndo pelo meu rosto também. Eu não sabia o motivo, mas sabia que aquele choro não era de tristeza.

E então ela disse: "Deus é fiel!".

Naquele momento, passou um filme na cabeça dela; estava se lembrando de várias promessas que Deus tinha feito a respeito da nossa família, e cada uma delas vinha se cumprindo ao longo dos anos. Naquele instante, ela viu mais uma sendo cumprida entre nossos familiares.

Glória a Deus por esse momento e por todas as bênçãos que Ele tem derramado sobre a nossa vida. Esse dia me marcou muito!

A promessa de Deus se cumpre, mas como você estará conta muito. A maneira como você irá receber a promessa que Ele lhe fez tem ligação com as decisões diárias que você toma.

Eu decidi recomeçar, e isso mudou completamente minha vida.

E, para que você entenda a importância do recomeço, consegue me responder quem é você em uma palavra?

Você tem clareza de qual é o seu propósito?

Com clareza, o que o motiva?

O que é felicidade para você?

O que é sucesso para você?

São perguntas aparentemente simples, mas que a maioria das pessoas não consegue responder com clareza, apenas de maneira ampla. Algumas até conseguem, mas as respostas não convencem ninguém, principalmente elas mesmas.

A última reflexão que deixarei para você na introdução é:

No dia do juízo final, o dia em que vamos ter de prestar contas, você conseguirá afirmar que todos os dons e talentos que Deus lhe deu foram usados da maneira correta para o cumprimento do seu propósito, a ponto de sua consciência estar tranquila de que as vidas que você precisava alcançar foram, de fato, alcançadas?

Esta é uma reflexão que aprendi com um dos meus mentores: no final, quem terá de prestar contas de tudo será você! E, nesse dia, não adianta querer contar história ou dar justificativa, porque o que realmente irá prevalecer serão as obras que você fez com os dons e talentos que Deus lhe deu.

Por isso, recomeçar, para algumas pessoas, é algo que precisa ser feito com urgência, porque, além de estar vivendo uma vida de distrações sem resultados, está deixando de cumprir o seu propósito.

Recomeçar é necessário para aqueles que querem fazer a diferença na vida de outras pessoas por meio do seu propósito aqui na Terra.

Bem-vindo ao seu melhor recomeço!

Capítulo 1

RECOMEÇAR É NECESSÁRIO

O recomeçar não é algo bem-visto pelas pessoas. Infelizmente muitos atrelam essa ação ao fracasso ou a resultados ruins. Em algumas situações, recomeçar assume um tom negativo, ter que refazer algo que foi mal feito; parece algo ruim ou errado, ou até mesmo uma crítica.

Quando algo é feito pela primeira vez, existe expectativa, empolgação, confia-se que aquilo vai dar certo e trará os resultados que se espera.

Mas, quando precisamos refazer algo, nosso cérebro não reage bem. É como se ele enviasse um comando dizendo que fazer novamente algo que já foi feito no passado significa que isso teve um resultado ruim, por isso deve ser recomeçado.

E isso simplesmente traz um sentimento desconfortável, de frustração, não nos deixando tão entusiasmados como na primeira vez. Esse sentimento acontece devido ao gatilho criado pelo resultado final negativo.

Sugiro que você coloque um olhar diferente sobre os "recomeços" da sua vida.

Recomeços são necessários e fundamentais no processo de crescimento e desenvolvimento.

Há três motivos pelos quais recomeçar é necessário e importante para o nosso crescimento e desenvolvimento.

1. Todos devemos recomeçar em algum momento

Se até Deus teve que recomeçar a humanidade, por que você acha que não é necessário recomeçar?

Deus recomeçou por meio de um dilúvio, por isso, é importante que esse processo de recomeço também faça parte da sua vida.

Aqui quero trazer entendimento sobre essa questão do recomeço de Deus, quando Ele mandou um dilúvio que devastou toda a Terra, deixando livres apenas Noé, esposa, seus filhos, as mulheres de seus filhos e um casal de cada um dos seres vivos, macho e fêmea.

Muitas pessoas se questionam como Deus, sendo o criador de tudo, sendo o único a saber do nosso futuro e de tudo que vai acontecer, pôde errar a ponto de ter que recomeçar.

Mas será que Ele errou mesmo?

Preciso trazer esse entendimento.

Você sabe dizer qual é o livro mais atual que existe e também o mais vendido no mundo?

A Bíblia Sagrada! Isso mesmo.

Por isso, "recomeçar" deveria fazer parte da Bíblia, por meio da história de Noé. Esse é um dos motivos por que Deus precisava recomeçar.

A história de Noé é simplesmente fantástica! Noé era um homem justo e íntegro entre os povos da sua época, e a Bíblia fala que Deus mostrou benevolência para com ele. Isso aconteceu em uma época em que o homem havia se inclinado, em seus pensamentos do coração, para o mal – e a perversidade havia aumentado na Terra. O que eu acho fantástico nessa história que a Bíblia nos ensina é Deus chamar Noé para fazer o maior trabalho de engenharia e arquitetura da época, sem que ele fosse especialista nessa área.

Mesmo não sendo especialista, Noé fez exatamente tudo como Deus pediu. Então, a obediência ao executar o projeto da maneira como planejado foi fundamental nesse processo de "recomeço" da humanidade.

A lição que tiro dessa história é: Deus não errou a ponto de recomeçar, mas Ele sabia que o "recomeço" era necessário para nos ensinar que na vida teremos vários "recomeços", e eles são fundamentais para o nosso avanço e crescimento.

Talvez você esteja se questionando: *Cleiton, é possível recomeçar algo que não tenha sido feito por você, assim como aconteceu com Noé?*

Vamos lá, não foi Noé que recomeçou algo. Deus é quem decidiu recomeçar a humanidade, e escolheu Noé apenas para ser o responsável pela obra e por sua execução. Que isso fique claro para você! E por que isso precisa ficar claro?

Porque, a partir daqui, vou compartilhar com você o segundo motivo pelo qual "recomeçar" é algo importante em nossas vidas.

2. Escolha a maneira certa de recomeçar

Existem recomeços que não serão feitos diretamente por você, e sim por uma pessoa qualificada, e você dará apenas a direção.

Antes explicarei e deixarei claro que Noé não era mais qualificado que Deus na reconstrução da arca. Isso aconteceu apenas porque essa foi a maneira que Deus quis usar para nos ensinar a importância e o "poder do recomeço" em nossas vidas. É comum cometermos erros por não termos habilidades ou conhecimento necessário em determinadas áreas. Nesse caso, você tem dois caminhos.

O primeiro deles é estudar e se especializar na área em que não conseguiu ter os resultados que buscava e que eram importantes no projeto. O que deverá ser avaliado é se você tem tempo necessário para se tornar esse especialista – e também se isso vai resolver o problema.

Geralmente, em um processo de recomeço, comete-se não um erro apenas, mas vários. Diante disso, todos os erros precisam ser corrigidos. Portanto, calcular o tempo para correção é fundamental para a tomada de decisão.

O segundo caminho é escolher um especialista e colocá-lo ao seu lado. Assim, além de corrigir o erro, existe agora uma pessoa que irá caminhar junto com você, que corrigirá os erros cometidos no passado e se antecipará aos erros futuros.

O terceiro ponto importante é:

3. Explore as vantagens de recomeçar

Você já sai com bagagem e com uma boa experiência. Pelo fato de já ter passado por esse caminho, avança com uma velocidade maior. Sempre que precisa percorrer um caminho que já conhece, a velocidade é maior, por já ter passado por aquilo ou vivido tal situação.

A segunda vantagem é o "tempo de execução" ser bem menor quando comparado ao tempo gasto na primeira vez. Por já saber como funciona, você não perde tempo ou se distrai com coisas que não vão agregar ao projeto ou área de atuação. E todos sabemos a importância do tempo, principalmente em um processo de recomeço.

A terceira vantagem de recomeçar algo é a maneira como se enxergam as circunstâncias. Você passa a olhar por um ângulo completamente diferente de como olhava antes. Sempre que está recomeçando algo, sua postura é diferente; sua visão, maturidade e autoridade também mudam. Além disso, você consegue enxergar coisas que antes não eram possíveis, pelo fato de ser a primeira vez. O ângulo agora é outro.

Recordo-me de que em 2016 fiz duas vezes um curso do Instituto Destiny.

Como é possível alguém fazer o mesmo curso duas vezes? Simples, a primeira desconstruiu o meu mundo, a segunda ajudou a construir. A mesma informação, porém com mentalidade diferente, me trouxe resultados extraordinários.

Agora, para trazer mais clareza sobre a importância dos "recomeços", quero contar o momento em que identifiquei a necessidade de tomar algumas decisões que mudariam completamente minha trajetória.

Em março de 2015, teve início um processo de transformação em minha vida que jamais imaginei viver. Mas os detalhes e os bastidores desse processo contarei no decorrer dos capítulos deste livro. Até mesmo para que sirva de inspiração, e você possa trazer para sua vida como meta e objetivo. *Se o Cleiton conseguiu, eu também consigo.*

O que eu quero enfatizar agora é o momento em que entendi que precisava recomeçar.

Em 2015, começou meu processo de conversão, e vivi muitas experiências com Deus. Passei a vivenciar coisas que até então nunca tinha vivido.

Em uma tarde de domingo, estávamos em família no culto, e naquele dia quem compartilharia a palavra era alguém, até então desconhecido para mim, chamado Tiago Brunet. Foi meu primeiro contato com o Tiago, e jamais poderia imaginar que aquele homem seria uma das pessoas mais usadas por Deus para mudar minha história.

Se naquele momento alguém me falasse que um dia ele se tornaria um dos meus mentores, líder e também meu amigo íntimo, jamais eu acreditaria! Até porque, devido à mentalidade da época, e por não ter ideia dos planos de Deus, isso seria algo impossível.

A postura dele e a linguagem que utiliza para ministrar a palavra me chamaram a atenção, por serem simples e de fácil entendimento. Ao final, ele anunciou que realizaria naquela semana um treinamento voltado para inteligência emocional.

Como estava muito próximo, eu não tinha condição financeira nem agenda disponível, devido ao meu trabalho. Porém, ele tinha avisado que em breve daria novamente aquele mesmo curso. De imediato a Luciana, minha esposa, me intimou dizendo que eu precisava fazer.

Luciana sempre foi protagonista na minha vida em decisões importantes, mas nessa época eu ainda não enxergava a sabedoria que Deus havia dado a ela. Seguindo o conselho que ela tinha me dado, alinhei com o diretor regional da época os dias de folga, para que eu pudesse participar. Recordo que na época o diretor me parabenizou pela decisão, porque aquele não era um treinamento barato.

Inscrição feita, agora era só me preparar para os três dias de treinamento.

Foram três dias que desconstruíram tudo que eu havia construído ao longo de 36 anos de vida. Descobri que vivia num mundo que só existia na minha cabeça, porque a vida real e a maneira como as pessoas me enxergavam eram completamente diferentes.

Para você entender um pouco do mundo que eu havia criado em minha mente, achava que era um excelente pai, marido, filho, gestor, e que as pessoas gostavam muito de mim porque eu era uma pessoa legal. Descobri que não era um bom pai no nível que eu achava, estava longe de ser o marido que a Luciana esperava, tinha muito para melhorar como filho e não era tão bom assim na gestão como acreditava.

As pessoas não gostavam tanto de mim como eu imaginava. Simplesmente me "toleravam". Eu era um homem orgulhoso, e achava que sabia mais do que os outros. Tinha crenças limitantes, complexo de inferioridade e necessidade de aceitação das pessoas, principalmente do meu pai. Também era uma pessoa intolerante e indiferente em determinados momentos.

Além disso, era inseguro, introvertido, e carregava algumas "verdades" que não eram verdadeiras, o que me levava a um processo de autossabotagem. Também tinha medo e era especialista em dar desculpas e justificativas que me levavam à procrastinação. Era dono de uma autoestima baixa que me impedia de sonhar alto e fazer coisas importantes. Tudo isso que relatei acima me levou a uma zona de conforto, onde eu gostava de ficar. Tudo de maneira inconsciente.

Essas foram as descobertas no curso que realizei com Tiago Brunet.

Coincidência ou não, nessa época eu estava conhecendo alguém de quem até então eu só tinha ouvido falar, apesar de achar que o conhecia: Jesus!

Nesse período, Jesus estava sendo apresentado a mim, e eu estava tendo experiências extraordinárias. Juntando tudo isso, só consegui chegar a uma conclusão:

RECOMEÇAR É NECESSÁRIO!

No entanto, eu desejava recomeçar com princípios milenares e alinhado com o propósito de vida que estava começando a entender e descobrir – mudar meus valores e realmente viver uma vida correta e coerente.

Decidi que esse recomeço traria impacto e transformação, primeiramente na minha vida, e depois na vida das pessoas que conviviam comigo. O que eu não sabia é que tudo isso também causaria impacto na vida de pessoas que eu nem conhecia.

Essa decisão me trouxe várias consequências.

Qualquer decisão que você tome na vida trará consequências positivas e negativas. Inclusive "não" tomar uma decisão também é uma decisão, e traz impactos não só na sua vida, mas na de todos ao seu redor, conhecidos e desconhecidos.

Por isso o convido a embarcar na leitura dos capítulos deste livro, para que você identifique todos os pontos em sua vida em que precisa dar *reset*, tudo que precisa ser "recomeçado". Mas antes preciso explicar algo.

A partir do momento em que você começou a ler a introdução deste livro, deu o primeiro passo para o recomeço em várias áreas da sua vida. Ao término da leitura, muita coisa já vai ter mudado em você sem que possa perceber. Algumas mudanças acontecem de maneira inconsciente ao longo da leitura.

Por isso, prepare-se!

O seu recomeço já começou e por isso preciso te explicar algo.

PARA RECOMEÇAR ALGO EM SUA VIDA, O START DEVE SER DADO PRIMEIRO EM SUA MENTE E DEPOIS EM SUAS ATITUDES

Qualquer recomeço, independente da fase de vida em que você esteja e independente da área que você vai recomeçar, precisa ter início em sua mente.

Ele começa em sua mente e depois se estende nas suas atitudes e comportamentos.

E isso acontece graças à evolução do autoconhecimento.

Porque, por meio do autoconhecimento, você passará a enxergar sua vida de maneira bem diferente. Com mais clareza, sabendo identificar os pontos positivos para serem potencializados e os negativos para serem trabalhados.

Recomeçar é necessário para aqueles que sabem que estão vivendo uma vida muito aquém do que realmente deveriam viver. Que sabem que não estão colocando em prática todo o potencial que têm.

Recomeçar é necessário para todos aqueles que sabem que não estão vivendo o seu propósito e tudo aquilo que Deus tem para sua vida.

Ao terminar este capítulo, passos importantes foram dados em sua mente rumo ao recomeço de que precisa.

Parabéns!

CAPÍTULO 2

OS PADRÕES QUE CARREGAMOS

Neste capítulo quero falar com você sobre padrões. Dar um *restart* nos padrões que o acompanham é fundamental para o seu crescimento.

Primeiramente, vou trazer entendimento sobre esse assunto que é tão importante e que está fazendo parte da sua vida durante todo esse tempo – mas que você não estava percebendo.

A inteligência artificial faz parte da nossa vida independentemente de a percebermos ou não. Os chamados algoritmos estão trabalhando 24 horas por dia para identificar padrões na vida das pessoas e usar isso em benefício das empresas que os criam. Além disso, somos influenciados por eles a todo momento e não nos damos conta disso.

Imagine se, ao longo desses anos, você fosse monitorado 24 horas por dia por algoritmos, e eles identificassem os seus padrões, vigiassem tudo o que você faz de maneira habitual e que o leva a ter praticamente os mesmos resultados. Desde ações que você pratica até coisas que fala ou decisões que toma.

O algoritmo lhe entrega um relatório semanal e mensal do seu comportamento na semana, nos quais constam todos os seus padrões de comportamento – iniciativas que você teve em momentos específicos, desistência de projetos ou oportunidades devido ao medo ou à insegurança, entre outros.

O quanto isso facilitaria seu crescimento e avanço?

Pois é, talvez você não tenha um algoritmo fazendo essa leitura para criar um relatório sobre você, porém, se analisar, irá perceber que alguns padrões o acompanham, e você está sempre repetindo-os na vida.

Por isso, quero convidá-lo a fazer essa leitura de si mesmo. Você fará o papel do algoritmo e irá identificar quais são esses padrões e, principalmente, o impacto deles em sua vida. Já posso garantir que alguns deles o estão prejudicando diretamente, por isso as coisas não acontecem como você busca ou sonha.

Vou compartilhar o exemplo de um padrão que tive antes de desenvolver o autoconhecimento em minha vida. Eu tinha o padrão do "sabe-tudo", e isso fazia com que, em qualquer assunto que você compartilhasse comigo, eu fizesse algum comentário e desse minha opinião querendo direcioná-lo sobre a questão. Na maioria das vezes, eu não tinha conhecimento sobre o tema, mas bastava ter ouvido falar em algum momento sobre aquele assunto que já achava que poderia falar com qualquer pessoa de igual para igual.

O problema é que, por trás desse padrão, se escondiam alguns complexos e feridas emocionais. Minha verdadeira intenção era mostrar às pessoas que eu estava no mesmo nível de conhecimento delas – ou até mesmo acima.

O padrão do "sabe-tudo" fazia com que as pessoas nem sempre gostassem de estar ao meu lado ou de compartilhar um assunto comigo, porque elas sabiam que eu sempre daria minha opinião e ponto de vista – e, na maioria das vezes, essa opinião ia de encontro ao que a pessoa estava falando.

Esse era um padrão negativo que eu carregava e que afetava diretamente meu comportamento. Afetava inclusive o relacionamento com as pessoas da minha família. Eu não tinha um bom relacionamento com a minha irmã, por exemplo. Essa minha postura e os gatilhos que eu carregava impediam que eu me relacionasse com ela como eu gostaria. E sabe o que é mais engraçado?

Sempre achei bonito irmãos que se dão bem e são amigos, mas eu não conseguia ter esse tipo de relacionamento com ela. E não por culpa dela, e sim minha.

Pensar que eu sabia tudo, somado ao orgulho que as feridas provocavam, me impedia de ter coisas que eu desejava. Coisas aparentemente simples, mas de muito valor na vida. Quanto vale a família estar em harmonia e comunhão?

Família é projeto de Deus, e os padrões que eu carregava me impediam de viver o que eu admirava em outras famílias. Desde que decidi recomeçar, um dos maiores ganhos foi justamente meu relacionamento com as pessoas – principalmente as que amo.

Atualmente, meu relacionamento com minha irmã está bem melhor, muita coisa foi ressignificada. Mas isso só foi possível porque resolvi recomeçar trabalhando os padrões negativos que me acompanhavam durante anos.

OS PADRÕES NEGATIVOS QUE CARREGAMOS POTENCIALIZAM NOSSO COMPORTAMENTO, INTERFERINDO DIRETAMENTE NAS NOSSAS AÇÕES.

Daqui para a frente, é sua responsabilidade identificar os padrões negativos que o estão acompanhando e eliminá-los da sua vida de uma vez por todas.

Esse não é um processo simples, mas é possível, desde que você tenha um nível de comprometimento alto com você mesmo, com os seus sonhos e objetivos de vida.

Por isso, sempre que quiser mudar algo em você, é importante saber três coisas. A primeira é **identificar**.

Aprendi, ao longo desses anos convivendo com o Tiago Brunet, que você só muda o que identifica, por isso, esse é o primeiro passo.

A segunda é **acreditar que essa mudança é possível de acontecer**.

Isso tem ligação direta com a sua mentalidade. Se você tiver uma mentalidade pequena, nunca vai se imaginar vivendo coisas grandes.

E a terceira é você **acreditar que consegue mudar**.

Por isso, o primeiro lugar onde a mudança deve acontecer é na sua mente, mas isso só é possível quando você acredita ser capaz de fazer.

Reflita sobre esses três pontos, pois eles são fundamentais em um processo de recomeço.

Agora, quero compartilhar com você alguns padrões que identifiquei em pessoas com quem convivi, trabalhei e atendi ao longo desses anos em mentoria e sessões individuais. Lembremos que esses padrões não têm ligação com nível social, intelectual ou financeiro. Conheci pessoas bem-sucedidas e com muito dinheiro, porém, com padrões negativos se repetindo diversas vezes em suas vidas.

Existem vários tipos de padrões, mas quero focar os três principais que boa parte das pessoas carrega.

Padrão de desistência

É comum, em nossa rotina, conhecermos pessoas que desistem com facilidade de projetos que iniciam, de tarefas para as quais se disponibilizaram a realizar ou até mesmo metas e sonhos que tinham estabelecido. E isso acontece de maneira muito natural na vida da pessoa, contudo, ela não percebe que esse é um padrão que já a acompanha durante anos e que a está prejudicando.

Essa desistência é velada e escondida, por ser um padrão na vida da pessoa. E por isso ela não percebe.

Se eu lhe perguntasse quais foram os momentos em que você desistiu de algo na vida, você traria à memória situações em que estava diante de um desafio muito grande e, depois de várias tentativas, desistiu, porque entendeu que não seria mesmo possível realizar ou superar.

Pois é, o problema é que o padrão de desistência que estou trazendo aqui é bem diferente. É aquele que é colocado em prática logo após você contar uma história para si mesmo que o deixe confortável emocionalmente, ou após criar justificativas ou desculpas para abrir mão do que estava sendo feito.

Vou dar alguns exemplos para facilitar sua memória:

- Dificuldade de terminar o que começou, desde coisas pequenas e corriqueiras até grandes projetos.

• Ter ideias diferentes para criar projetos novos sem ter terminado o projeto anterior. Na sua cabeça, foi uma ideia nova, mas, na realidade, é um padrão de desistência.

• Mudar o foco alegando que a prioridade mudou, mas, no fundo, não foi bem isso que aconteceu; no entanto, por carregar esse padrão, você desistiu contando uma história para si mesmo dizendo que foi "mudança de prioridade".

Eu poderia trazer vários outros exemplos, porém, você já identificou que o padrão de desistência o está acompanhando – e, até então, você não tinha percebido.

Liberte-se dele com urgência!

Padrão de sobrevivência e sofrimento

O segundo padrão é o da sobrevivência – pessoas que já se acostumaram a sobreviver, e não mais viver.

Vou trazer um exemplo bíblico de padrão de sobrevivência. Os hebreus, quando saíram do Egito rumo à terra prometida, carregavam o padrão de sobreviventes – claro que em decorrência da vida que tinham anteriormente. Entretanto, esse padrão interferiu diretamente na mentalidade, impedindo que eles percebessem tudo o que estava acontecendo ao redor e o que Deus estava fazendo na vida deles.

Há duas características das pessoas que possuem o padrão de sobrevivente e de sofrimento.

A primeira é que elas reclamam constantemente. Nunca estão satisfeitas e estão sempre em busca de algo para murmurar, enxergando o lado negativo da coisa.

Por mais que você mostre o lado positivo, elas não querem enxergar e ainda ficam bravas com você por querer resolver um problema quando, na realidade, elas só querem reclamar.

Quantas reclamações e murmurações o povo fazia para Moisés? Realmente, tinha que ser Moisés para essa missão, porque o nível de paciência exigido era muito grande. Ele era a pessoa mais preparada para a tarefa, mesmo não acreditando ser capaz de realizá-la. Mas isso não é algo para se falar neste momento.

A segunda característica é a falta de visão de futuro – pessoas que carregam o padrão de sobrevivência estão sempre focadas no presente e, principalmente, no passado.

Você percebeu como Moisés era questionado por eles, a ponto de perguntarem se o plano de Deus era tirá-los do Egito para morrerem no deserto?

E por que isso acontecia?

Porque eles estavam sempre olhando para o passado, lembrando da vida que tinham e comparando-a com o presente.

Então, algo que era ruim antes, por fazerem a leitura errada, se torna bom quando comparado ao que está acontecendo no presente.

O PRESENTE É APENAS O PROCESSO DO QUE VOCÊ VAI VIVER NO FUTURO.

Nem sempre você está no deserto; na maioria das vezes, está apenas em um processo de preparação para algo muito grande no futuro. Por isso, pare de murmurar e se liberte do padrão de sobrevivência.

É importante saber que pessoas que carregam o padrão do sofrimento e da sobrevivência têm dificuldade de gerir o tempo, não são disciplinadas e também não têm uma vida organizada.

Um exemplo disso é que, se você dá uma tarefa para essa pessoa e ela tem duas horas para realizar, nos primeiros noventa minutos ela vai ficar enrolando, deixando para realizar nos minutos finais, a ponto de ter que terminar em cima da hora, com muito esforço. Ela poderia ter feito nas duas horas disponíveis, mas o padrão que ela carrega a impede de fazer isso.

Tudo dela é sempre muito corrido e muito difícil. Ela dá um jeito de tornar difíceis as tarefas fáceis, porque isso já se tornou um padrão de vida.

Padrão de ajuda

O nome pode parecer positivo, mas não é. Esse padrão está relacionado a pessoas que precisam de ajuda em tudo que vão realizar. Elas não se sentem à vontade quando estão diante de uma tarefa ou projeto que precisam fazer sozinhas.

Pessoas com esse padrão têm dificuldade de liderar – seu modelo de liderança é compartilhado. Elas estão sempre buscando a opinião das pessoas, não somente pela insegurança, mas também porque já carregam esse padrão.

Para facilitar o entendimento, vou trazer alguns exemplos aqui que vão auxiliar a leitura e também ajudar a identificar se esse padrão faz parte da sua vida.

Quando você está diante de um pedido de alguém, aceita de imediato ou precisa pensar e entender o que deve ser feito?

Quando o pedido é aceito, você se acha capaz de realizá-lo ou sempre chama pessoas que possam ajudar a fazer o que você já sabe como fazer?

Lembra a época de escola, quando existiam os trabalhos em grupo? Você gostava?

Por exemplo, eu gostava, mas não porque eu queria fazer o trabalho, e sim porque entendia que aquela era uma oportunidade de ter outras pessoas fazendo-o por mim, e que me ajudariam a ter uma boa nota.

Ou seja, eu sabia que no grupo haveria uma pessoa com o "padrão de ajuda" que tomaria a frente do trabalho, realizando-o praticamente sozinha, e que, no final, colocaria o nome de todos os integrantes.

Facilitou agora o seu entendimento? Pessoas com esse padrão geralmente realizam sozinhas as tarefas e, em alguns casos, não deixam que os outros participem ou se preocupem, porque ela está à frente.

E isso acontece porque, emocionalmente, elas se sentem mais seguras tendo outros inseridos no projeto, por isso estão sempre em busca de ajuda – mesmo que essa ajuda, na maioria das vezes, não seja para nada, porque elas vão realizar tudo sozinhas.

Quando precisa ir a um lugar que você já sabe onde fica, você vai sozinho ou gosta que alguém vá junto?

Quando o seu líder coloca em suas mãos uma tarefa que você já sabe como fazer, você chama pessoas para estarem junto com você ou realiza a tarefa sozinho?

Você realmente não gosta de fazer as coisas sozinho, ou se sente mais seguro emocionalmente quando tem alguém ao seu lado acompanhando, mesmo que essa pessoa não esteja fazendo nada?

Estas são perguntas que irão ajudá-lo a identificar se o "padrão de ajuda" o está acompanhando e você nunca percebeu.

Você deve estar pensando que esse padrão não é ruim, porque o faz sempre estar acompanhado de alguém. Sim, se quiser olhar por esse lado, você tem razão; a questão é que esse padrão traz à vida um desgaste emocional muito grande. Porque, sempre que está diante de algo que precisa ser feito, até ter as pessoas ao seu lado, o desgaste emocional já lhe fez muito mal, fazendo com que você não consiga iniciar o que precisa de fato ser feito.

Outra coisa: quantas oportunidades você já perdeu simplesmente porque recebeu um convite ou pedido, porém, quando descobriu que teria de fazer sozinho, não se sentiu bem e criou uma justificativa para não realizar – sendo que, no fundo, era devido ao padrão que você carrega?

Quantos conflitos você já teve com pessoas porque elas não queriam acompanhá-lo ou fazer algo com você, porém, de tanto você insistir, a pessoa acabou cedendo e lá na frente lhe trouxe transtornos?

Por isso é importante você identificar e se libertar.

Quando Deus chama Moisés, explica que ouviu o clamor do seu povo e que ele será o libertador. Moisés entra em desespero a ponto de por cinco vezes falar para Deus que ele não era a pessoa ideal para esse projeto tão importante. A questão aqui é que Moisés, devido aos seus complexos, crenças e gatilhos, não se achava capaz de realizar aquele projeto.

A Bíblia relata em *Êxodo* que a ira do Senhor se acendeu e Ele enviou Arão, irmão de Moisés, para ajudá-lo a falar com o povo para a libertação de todos do Egito. E Deus ainda reforça que, ao encontrar Arão, o coração de Moisés iria se alegrar, ou seja, ele se sentiria mais seguro emocionalmente.

Deus precisou colocar Arão junto de Moisés para que ele pudesse libertar o povo do Egito.

Além disso Moisés também precisou de ajuda de Arão e Hur diante da batalha dos israelitas contra os amalequitas, na qual os dois, um de cada lado, seguravam o seu braço, porque enquanto Moisés estivesse com os braços levantados, os israelitas venciam a batalha, e sempre que ele baixava os braços, os amalequitas começam a vencer.

Deus poderia ter renovado a força física de Moisés a ponto de ele conseguir ficar com os braços levantados sem precisar de ajuda, mas acredito que por conhecer Moisés, Deus sabia que emocionalmente ele se sentiria melhor recebendo ajuda de Arão e Hur.

Na realidade, o que se esconde por trás do "Padrão de ajuda" é a insegurança emocional que faz com que a pessoa não consiga realizar a tarefa ou o desafio. Essa insegurança vem de diversos pontos; ao longo deste livro, você vai poder identificar suas origens e trabalhá-las em sua vida.

O objetivo deste capítulo é que você identifique os padrões que carrega em sua vida e o impacto negativo que eles estão lhe trazendo. Todos carregamos padrões, mas os negativos precisam ser identificados e posteriormente eliminados.

Aqui eu trouxe três exemplos, mas posso garantir que são muitos – e eles precisam ser identificados. Por isso, por meio da inteligência emocional, você precisará identificá-los, assim como é feito na inteligência artificial com os algoritmos.

Antes de finalizar este capítulo, gostaria de deixar uma reflexão sobre dois padrões: **o padrão do não merecimento e o padrão de inferioridade**.

Não tinha pensado nisso?

Pois é, esses padrões se originam de complexos que as pessoas carregam, porém, como a quantidade de pessoas que carregam esse padrão é muito grande, vou deixar para falar sobre eles no capítulo sobre complexos.

Os complexos potencializam os padrões em nossa vida, portanto, precisam ser tratados para que você tenha sucesso no seu recomeço. Existe um poder no recomeço, e por isso é preciso que você faça da maneira correta.

Recomeçar é necessário para aqueles que buscam crescer, avançar e – o principal – cumprir o seu propósito.

CAPÍTULO 3

AUTOSSABOTAGEM E SEUS EFEITOS

Dentro desse processo de recomeço pelo qual você passará ao longo da leitura deste livro, trarei o entendimento de algo que o acompanha há muito tempo, mas você nunca se deu conta.

Só não fique chateado ou triste com você mesmo por isso ter ocorrido. Até porque, na realidade, você é apenas mais um dentre milhões de pessoas que passam por isso e não sabem.

Antes de entrarmos no tema deste capítulo, preciso lhe fazer duas perguntas:

1. Você seria capaz de gastar parte do seu tempo valioso tomando decisões ou fazendo coisas que só lhe trariam prejuízos?

2. Você seria capaz de fazer algo que sabe que vai lhe prejudicar ou que vai lhe fazer perder uma oportunidade na vida?

Pois é, tenho certeza de que a resposta para as duas perguntas é "não", e algumas pessoas até complementam dizendo: "Eu jamais faria isso na minha vida!".

Desculpa, mas vou ter que corrigi-lo, porque você faz isso quase todos os dias, e não percebe.

De maneira inconsciente, em determinados momentos, você toma decisões que só o levam para um caminho de prejuízos, perdas e conflitos com outras pessoas. E isso ocorre porque, até este momento, você não tinha recebido essa informação, ou, se recebeu, não teve o entendimento adequado para trazê-la para sua vida e trabalhar isso de maneira que consiga eliminar esse problema.

Estamos falando aqui dos efeitos da "autossabotagem".

Autossabotagem é aquele momento em que você toma decisões ou faz coisas que o prejudicam diretamente, mas de maneira inconsciente. É um processo interno que, ao entrar em ação, você não percebe, e pouquíssimas pessoas, ao observarem de fora, conseguem identificar. Esse é um dos motivos pelos quais é tão difícil receber ajuda ou até mesmo ser sinalizado sobre o que está acontecendo.

Se você gritar com uma pessoa ou tratá-la mal, logo alguém irá sinalizar que você não pode fazer isso com os outros, porque existem erros que as pessoas de fora enxergam e nos sinalizam de maneira rápida. Porém, o processo de autossabotagem não é assim. Quando ele está acontecendo, somente você é capaz de identificá-lo e corrigi-lo.

De maneira prática e com uma linguagem simples, quero lhe explicar um pouco como isso funciona. Minha intenção é facilitar ao máximo o seu entendimento, para que você possa identificá-lo. E, após essa identificação, você precisa aceitar que está se prejudicando e, logo em seguida, tomar a decisão de eliminar esses sabotadores da sua vida.

Por isso, é preciso que neste momento você responda a algumas perguntas:

1. Você já começou a fazer algo que as pessoas começaram a elogiar e os resultados passaram a aparecer, mas de repente, de uma hora para a outra, parece que tudo desandou e deu errado?

2. Você já esteve em uma fase que considerava boa em sua vida, mas internamente estava com um

sentimento de que a qualquer momento o cenário mudaria e você voltaria a viver os mesmos problemas e desafios que tinha antes?

3. Você tem dificuldade de comemorar quando está vivendo uma fase boa ou quando consegue alcançar uma conquista?

Se, dessas três perguntas, em pelo menos uma você respondeu sim, é um sinal de que você já se prejudicou com a autossabotagem.

Após responder a essas três perguntas, você vai dar um passo importante para identificar os possíveis sabotadores que existem em sua vida. E isso é libertador!

Porém, para ajudá-lo nesse processo de identificação, vou compartilhar alguns deles, de forma a facilitar a leitura interna.

1. Perfeccionismo

Isso mesmo! O perfeccionismo.

Talvez até hoje você tenha acreditado que o perfeccionismo era uma qualidade boa, mas posso adiantar que não é.

Na realidade, ele é um sabotador na vida, e as pessoas o confundem com a perfeição, acham que ele pode ajudar na execução das tarefas, deixando tudo que fazem perfeito.

Já vou deixar claro que somente Deus é perfeito; o homem, não!

E muitos confundem com a perfeição de Deus, achando que também é possível realizar coisas perfeitas, porém não é assim que as coisas funcionam.

Em primeiro lugar, uma pessoa que sofre com esse sabotador não consegue definir de maneira clara o que é perfeito para ela. Tudo que ela faz, sempre acha que poderia ter feito melhor ou que existe algo que possa ser mudado e melhorado.

E esse é um dos motivos pelos quais as pessoas que possuem o perfeccionismo como sabotador têm grande dificuldade de identificar suas conquistas e principalmente comemorá-las. Porque, em sua mente, o trabalho ou tarefa que realizou não ficou bom o suficiente a ponto de se realizar ou até mesmo comemorar.

Além disso, pessoas com o sabotador do perfeccionismo têm um nível de exigência muito alto consigo mesmas e, consequentemente, com as pessoas do seu convívio. Elas não ficam satisfeitas com a entrega das pessoas que trabalham ou convivem com elas, e estão sempre querendo mais ou cobrando uma entrega acima do que a pessoa pode fazer e suportar. Como se cobram e exigem muito de si mesmas, acham que todos devem ser cobrados, e que suportam esse nível de cobrança.

Por isso, a convivência com pessoas perfeccionistas se torna um desafio em determinados momentos.

O benefício de conviver com uma pessoa perfeccionista é que ela acaba exigindo de você um nível alto de entrega em tudo que você realiza. Um exemplo disso é que, quando há um líder acima de você que tem o perfeccionismo, ele o desenvolve e extrai de você habilidades que você não sabia que tinha, justamente pelo alto nível de cobrança.

Porém, isso faz com que você não se sinta bem. Na maioria dos casos, um líder perfeccionista é julgado por sua equipe como carrasco ou até mesmo como perseguidor. Algumas pessoas, quando cobradas, acham que estão sendo perseguidas.

Faça uma reflexão e comece a puxar na memória as pessoas perfeccionistas com quem você trabalhou e o quanto elas fizeram com que você se desenvolvesse pelo alto nível de cobrança. Para saber se o perfeccionismo faz parte da sua vida, segue abaixo uma lista para que você sinalize as características do perfeccionista que conseguiu identificar em você em algum momento:

- Busca a perfeição em tudo que realiza.
- Busca a perfeição em si, com um alto nível de cobrança interna.
- Possui um nível de exigência alto em relação à entrega das pessoas com quem convive.
- Compete ao extremo e não gosta de perder.
- Necessita estar sempre entre os melhores.
- Tem dificuldade em assumir falhas, e tenta justificá-las, em vez de assumir o erro.

- Não gosta de receber críticas.
- Tem dificuldade para confiar nas pessoas.
- É centralizador e, por isso, tem dificuldade em delegar tarefas.
- Atrasa a entrega de tarefas.
- Tem dificuldade de enxergar o valor nas tarefas que realiza.
- Possui dificuldade em aceitar elogios; internamente, não vê valor nos elogios que recebe.
- Tem medo de cometer erros.
- Não confia em si mesmo em relação às tarefas que realiza.

Agora você já tem um bom parâmetro para saber se o sabotador chamado perfeccionismo faz parte da sua vida.

2. Procrastinação

O segundo sabotador é a Procrastinação, que traz impacto nos seus resultados e interfere diretamente em sua produtividade.

Muitas vezes na vida, você perde a oportunidade de crescer e avançar porque não está fazendo as coisas como deveria. Além disso, a procrastinação interfere também em sua credibilidade. Pessoas que se comprometem a fazer algo e não cumprem simplesmente porque procrastinaram arranham sua imagem a ponto de perder a credibilidade perante as pessoas.

Outro fator importante que é preciso que você entenda é: procrastinar irá levá-lo por um caminho de sobrecarga. Você chega ao ponto em que só faz o que realmente não tem mais como procrastinar. Com isso, torna-se uma pessoa carregada de coisas para fazer em sua rotina.

E o último ponto sobre procrastinação é: os conflitos que você já teve com pessoas por procrastinar coisas que eram importantes para elas. Por esses e outros motivos, o sabotador chamado procrastinação o prejudica tanto em sua rotina.

Há três coisas importantes que você precisa saber dentro desse processo sobre o sabotador chamado procrastinação.

A primeira delas é a história que você conta antes de procrastinar. Repare que, quando você precisa fazer uma atividade que vai ser procrastinada posteriormente, tudo se inicia na história que você começa a contar para você mesmo internamente.

Imagine que você chega ao trabalho na segunda-feira e recebe a solicitação para fazer um relatório que precisa ser entregue até sexta. Porém, esse relatório é um pouco complexo e exige um nível de atenção elevado. Repare que você já começa a mandar informações para o cérebro comunicando que não precisará começar a fazer o relatório naquele mesmo dia, porque ele poderá ser entregue até sexta-feira, e há tempo suficiente.

Na terça-feira, dificilmente você vai se lembrar de fazer esse relatório, e, se lembrar, vai pensar: "Hoje não dá, devido às atividades que preciso fazer, mas amanhã, que é quarta-feira, eu inicio o trabalho e termino na quinta. Assim dá tempo de revisar". Na quarta-feira, você se lembra do relatório, mas começa a falar consigo mesmo que ele não pode ser feito de qualquer maneira, e como a quinta-feira é o dia mais calmo no seu trabalho, seria a data ideal para realizar a tarefa.

Na quinta-feira, você sai de casa com o pensamento de chegar ao trabalho e fazer o relatório, porém, quando chega lá, começa a fazer outras atividades, e joga a tarefa de fazer o relatório para o período da tarde, quando voltar do almoço. Entretanto, como na volta do almoço você não estava com muita disposição e o relatório pode ser entregue no dia seguinte, você pensa: por que fazer hoje se posso fazer amanhã?

Chega a sexta-feira, e finalmente você vai fazer o relatório. Porém, você começou depois do almoço, e por isso não fez com a atenção que deveria; entregou no final do dia, deixando para segunda-feira uma série de coisas que deveriam ter sido feitas, simplesmente porque você passou a tarde de sexta somente focado nesse relatório.

Algo que poderia ter sido feito de maneira tranquila e com atenção ficou para os 45 minutos do segundo tempo, devido à história que você contou para si mesmo durante a semana, procrastinando uma tarefa importante.

Você se identificou?

Muitas pessoas passam por isso. Criam histórias mentalmente, buscando se convencer de que não dá para fazer aquela atividade naquele momento, procrastinando ao máximo.

Por isso, muitos não conseguem ter momentos de lazer ou descanso, porque estão com a vida cheia de atividades atrasadas devido à procrastinação que os acompanha no dia a dia.

O segundo ponto que quero compartilhar é que geralmente você procrastina as atividades que não tem habilidade para fazer ou que não gosta de fazer. As duas coisas caminham juntas, porque tudo aquilo que você não tem habilidade para fazer e lhe exige muita atenção, você automaticamente não gosta de fazer – e essas atividades sempre são procrastinadas, deixando para serem realizadas na data-limite, ou até mesmo não sendo cumpridas.

No exemplo do relatório dado anteriormente, perceba que ele exigia da pessoa uma atenção maior, e por isso houve procrastinação ao máximo da tarefa. Como 80% do que realizamos ocorre de maneira inconsciente e não exige muito de nós, temos a tendência de procrastinar aquilo que exige mais de nós, mas que não deveria ser adiado, por ser tarefa importante.

Fique atento e observe se esse não é um dos motivos pelos quais você tem procrastinado tanto.

O terceiro ponto para o qual vou chamar sua atenção é que temos a tendência de fazer o que gostamos e não o que realmente é necessário. E esse também é um dos motivos pelos quais muitos procrastinam. Começam o dia realizando tarefas das quais gostam, deixando para o final do dia as que são necessárias e que não gostam muito de fazer. O problema é que, quando você termina o dia fazendo o que não gosta, o sentimento é muito ruim, e você chega ao final dele cansado e exausto.

Um exemplo disso é a atividade física, algo necessário para se ter uma saúde equilibrada, mas que poucas pessoas gostam de fazer. Qual a chance de, depois de um dia de trabalho, você chegar em casa e ainda ir à academia, se a atividade física nunca foi seu forte?

Por isso, a dica que quero deixar para ajudá-lo a procrastinar menos é: comece o seu dia fazendo o que é necessário e aquilo de que você não gosta. Deixe as atividades mais prazerosas para o final do expediente. Assim você tem a sensação de que o seu dia foi produtivo e agradável.

A Bíblia nos ensina em *Eclesiastes* que o fim das coisas é melhor do que o começo. Traga isso para a sua vida e acabe com a procrastinação. É importante terminar o dia com o sentimento de que ele foi produtivo e agradável, apesar de todas as atividades que você fez.

Como usamos a atividade física como exemplo de algo que algumas pessoas não gostam de fazer, comece o dia fazendo atividade física. Além de fazer bem para a saúde, vai lhe dar mais disposição – e chegará o momento em que isso se tornará um hábito saudável em sua vida.

Muitas das atividades que você não gosta de fazer é porque não tinha habilidade ou não sabia ao certo a melhor maneira de realizar. Repare que, depois que você aprende, entra no modo automático e dificilmente volta a procrastinar.

Além dessa dica, quero compartilhar mais três para você procrastinar menos na vida e eliminar esse sabotador de vez.

A primeira delas é definir! Sempre que você tem clareza nas prioridades da sua rotina, você procrastina menos. As prioridades podem ser definidas por áreas, assim você não corre o risco de focar em uma área e procrastinar em outras. Não esqueça que no dia a dia temos atividades urgentes e importantes. Porém, quando as importantes não recebem atenção, tornam-se urgentes em algum momento.

A segunda dica é a organização. Se você for uma pessoa desorganizada, dificilmente vai deixar de procrastinar. Com organização, você tem clareza do que precisa ser feito e por onde começar. Seja uma pessoa organizada, para que os objetivos e metas que você estabelece sejam cumpridos, facilitando o acompanhamento de tudo que você definiu como prioridade.

A terceira dica é: crie recompensas. Aprenda a criar recompensas para os avanços que você tem. Entenda que, se você tem dificuldade de fazer algo e consegue trabalhar isso a ponto de fazer com habilidade aquilo que antes não conseguia, já é um motivo para comemorar. Defina qual será a recompensa que você terá quando a procrastinação deixar de ser um sabotador em sua vida. Talvez esse seja o incentivo de que você precisa!

Além do perfeccionismo e da procrastinação, existem vários outros sabotadores que quero compartilhar de maneira mais resumida. Os dois primeiros já expliquei de forma mais detalhada, devido à complexidade e por atingir muitas pessoas.

3. Não terminar o que começou

É comum pessoas que têm dificuldade de terminar as tarefas que começaram, e que dão justificativas para não terem concluído.

Muitos justificam isso como "tive uma ideia diferente", "o meu tempo está escasso", "não saiu como eu esperava", "depois eu termino". Não importa qual é a justificativa, essas pessoas se distraem com facilidade e mudam aquilo que começaram a fazer em uma velocidade muito grande, a ponto de não conseguirem concluir uma tarefa.

4. Não aceitar elogios

Pessoas que têm dificuldade de receber elogios também podem considerar esse comportamento como um sabotador. Por trás dele está escondido algum tipo de complexo ou crença – por isso a luta interna para aceitar um elogio. Repare que pessoas que têm esse sabotador sempre buscam convencê-lo de que não fizeram nada de mais.

Se você tem dificuldade de receber elogios, comece a descobrir a origem, porque esse é um sabotador que o impede de enxergar as qualidades boas e habilidades que detém.

5. Orgulho

Este é um dos piores sabotadores que existem, porque o impede de crescer e avançar. Pessoas orgulhosas têm dificuldade de pedir ajuda, assim como não gostam de ser repreendidas ou criticadas. Lembre-se de que também se cresce na vida por meio das críticas e da repreensão de pessoas que gostam de você.

Em Provérbios 8:13, a Bíblia nos ensina que o temor do Senhor consiste em odiar o mal, rejeitando todo o orgulho, a arrogância, o mau comportamento e o falar perverso. Por isso, o orgulho não pode fazer parte da sua vida.

Além disso, o orgulho fere pessoas, prejudica relacionamentos e faz com que os outros o tolerem, e não necessariamente que gostem de você.

6. O "sabe-tudo"

Cuidado se esse sabotador o acompanha, porque, sempre que você acha que sabe alguma coisa, isso o impede de aprender algo novo. Além disso, os erros que cometemos na vida ocorrem em momentos em que temos certeza do que estamos fazendo, porque na dúvida você pergunta, solicita esclarecimento ou até mesmo pede ajuda. Agora, quando você tem certeza do que está fazendo, liga o piloto automático e não se atenta aos possíveis erros que pode cometer.

Antes de desenvolver a inteligência emocional, eu era o "Sabe-Tudo". Hoje, olhando para trás, percebo o quanto achar que eu sabia de tudo me prejudicou. Por isso, a única certeza de que eu tenho é de que não sei nada, assim aprendo algo novo todos os dias.

SE QUER APRENDER ALGO NOVO NA VIDA TODOS OS DIAS, CAMINHE COM A CERTEZA DE QUE NÃO SABE NADA.

Esses são alguns dos sabotadores que podem estar acompanhando você, porém sem nunca terem sido percebidos. Com tudo que aprendeu neste capítulo, é possível que você tenha identificado outros sabotadores em sua vida.

Uma coisa que não podemos esquecer é que somos os únicos responsáveis pela vida que estamos levando, e de alguma maneira contribuímos em tudo que acontece. Tudo que você faz e que o prejudica de alguma maneira para avançar ou mudar de nível pode ser considerado um sabotador.

É importante, após a leitura deste capítulo, que você faça uma reflexão mais detalhada sobre a sua história de vida. Reflita principalmente sobre as situações em que você culpava outras pessoas ou justificava contando uma história para si mesmo.

Já parou para pensar como sua vida seria diferente se você não se sabotasse?

Quantas coisas teria feito se esses sabotadores não estivessem prejudicando?

A qualidade dos seus relacionamentos, as pessoas que você já teria conhecido e as amizades que teria preservado se não se sabotasse tanto?

Por isso a reflexão é necessária, para que você possa identificar e eliminar tudo que o está prejudicando. Nesse processo de recomeço, os sabotadores serão descobertos e vão ficar apenas no seu passado, como uma lembrança de aprendizado e crescimento.

E com esse crescimento você vai poder ajudar outras pessoas a se libertarem da autossabotagem.

Porque, no final, tudo tem a ver com pessoas!

CAPÍTULO 4

EFEITOS DA BAIXA AUTOESTIMA

Neste capítulo abordarei um assunto com que poucas pessoas se preocupam, mas que tem grande importância na vida: a autoestima – na realidade, um alerta sobre a falta dela.

Mas, antes, entenda que a autoestima tem papel fundamental no sucesso do ser humano. Ela interfere diretamente em nossos relacionamentos amorosos, familiares e também nas nossas amizades. Uma pessoa com a autoestima em ordem sabe aonde quer chegar e também conhece seus limites. Claro que o excesso de autoestima pode prejudicá-lo a ponto de você se perder nas decisões diárias e também nos objetivos que estabelece.

Vamos fazer um exercício simples aqui.

Lembre-se das melhores fases da sua vida, dos momentos de felicidade, quando tudo dava certo. Repare que nessas fases sua autoestima estava no ponto certo. Com isso, você encarava os desafios do dia a dia com confiança e também com a certeza de que tudo daria certo.

Mas e quando nossa autoestima não está como deveria?

Pois é! Isso é muito sério!

E por esse motivo o tema deste capítulo é "baixa autoestima".

Abordarei características de pessoas que estão com a autoestima baixa. Assim poderei mostrar o quanto é importante cuidar dela, pois traz impacto direto nas emoções, direcionando-nos para decisões das quais posteriormente vamos nos arrepender ou fazendo-nos perder oportunidades que surgem e não percebemos.

Fiz uma lista com sete características de pessoas com baixa autoestima. Avalie se você possui alguma delas.

1. Busca por culpados

Buscar culpados para os seus erros ou para os problemas que surgem no cotidiano é algo comum para algumas pessoas, embora elas não percebam – porque esse já pode ter se tornado um padrão na vida delas. E não percebem também que isso pode ter como origem a baixa autoestima.

É muito difícil conviver com pessoas que apresentam esse padrão de transferir a culpa para os outros. Por não estarem bem emocionalmente, ou também pelas feridas abertas que carregam, sempre existe um culpado por tudo que acontece na vida delas. Com pessoas que apresentam esse padrão, você precisa esperar o momento certo para sinalizar que a culpa não é dos outros, como elas acham. Porém, se você convive com quem apresenta esse padrão e suas emoções também não estiverem no lugar, os conflitos serão inevitáveis.

E tudo isso porque a autoestima da pessoa está baixa e ela se encontra em um momento em que não é capaz de assumir responsabilidades; é capaz apenas de colocar a culpa em todo mundo, menos nela.

2. Falta de confiança em si mesmo

A segunda característica é um pouco mais fácil de ligar com a baixa autoestima. Fica muito nítido, em pessoas que agem dessa maneira, que elas não se sentem capazes de fazer determinadas coisas.

Além disso, uma pessoa que não tem confiança em si mesma precisa de segurança emocional para realizar algumas atividades. Essa segurança emocional vai desde uma palavra de incentivo, de alguém que ela respeita e admira, até a necessidade de companhia. A pessoa insegura não espera que outro faça suas atividades; ter alguém ao lado é o suficiente para a segurança emocional vir.

Outro fator importante sobre a falta de confiança em si mesmo é a necessidade de estar sempre pedindo opinião a outras pessoas. Existe uma diferença entre pedir ajuda ou consultar mentores e conselheiros. Estou falando daquela pessoa que não consegue tomar uma decisão sozinha; tudo que ela vai fazer, precisa compartilhar com alguém, devido à falta de confiança em si mesma, porque está com a autoestima baixa.

3. Procrastinação e preguiça

A procrastinação é algo que acompanha todo mundo. Todos nós, de alguma maneira, procrastinamos. Porém, como um padrão no cotidiano, ela prejudica muito a vida de uma pessoa.

Você já parou para pensar de onde vem essa procrastinação que o acompanha todos os dias? Faça esta reflexão: se, com a autoestima normal, existem tarefas que você não gosta de fazer e procrastina, pois exigem um nível de concentração alto, imagine quando a autoestima está baixa.

A baixa autoestima potencializa a procrastinação. Você começa a contar várias histórias para si mesmo e dá desculpas internamente para não realizar as tarefas. Você não tem ânimo para fazer aquilo.

Com relação à preguiça, é algo que atrai coisas ruins para a sua vida. A Bíblia nos ensina, em Provérbios 10, que uma pessoa preguiçosa se torna pobre, chegando ao ponto de causar vergonha em seus pais: "As mãos preguiçosas empobrecem o homem, porém, as mãos diligentes lhe trazem riqueza. Aquele que faz a colheita no verão é filho sensato, mas aquele que dorme durante a ceifa é filho que causa vergonha" (Pv 10:4-5).

Observe o nível de autossabotagem que você traz para a sua vida devido à preguiça que teve como origem a baixa autoestima.

Se você conhece uma pessoa que tem a característica de preguiçosa, avalie se ela possui as outras características também. Assim fica mais fácil identificar e ajudar, se ela se permitir ser ajudada.

4. Grau comparativo com outras pessoas

O grau comparativo prejudica de diversas maneiras, porque nunca existe equilíbrio para ele. Porém, quando se trata da baixa autoestima, ele atua no sentido de diminuir a capacidade da pessoa, e ela se enxerga inferior às outras. Sempre vai buscar se comparar com os demais, confirmando seu sentimento de incapacidade e de impossibilidade de realizar atividades.

Imagine que você assuma a responsabilidade de um setor em sua empresa. Por meio do grau comparativo, você sempre vai achar que seu setor é o menor, que não tem relevância, que é o mais simples ou aquele com os piores resultados. E isso o leva a olhar os outros setores como se fossem melhores, os que têm resultados melhores e mais relevantes, os mais admirados – levando-o até mesmo a desejar trabalhar lá.

Isso acontece porque o grau comparativo o acompanha todos os dias, tendo como origem sua baixa autoestima.

5. Necessidade de inferiorizar outras pessoas

Você nunca imaginaria que a necessidade de inferiorizar as pessoas viria da baixa autoestima. Quando falo dessa necessidade, tem a ver não somente com o orgulho e a soberba em alguns momentos, mas também com o fato de a pessoa não estar bem emocionalmente.

Sempre que alguém com baixa autoestima está diante de pessoas que julgue serem "menores" que ele, terá a necessidade de deixar isso claro para os outros. E de que maneira faz isso? Tudo que a outra pessoa faz, esse alguém não dá importância ou não se envolve como deveria. É como se fizesse pouco caso, porém, de maneira inconsciente.

Quando você compartilha uma conquista sua com alguém, e essa pessoa o considera inferior a ela, logo em seguida você percebe, pela reação dela, que sua conquista não tem tanta importância para ela.

A baixa autoestima faz a pessoa buscar constantemente situações para se autoafirmar. Inferiorizar pessoas é uma delas. Mesmo que seja de maneira discreta ou velada.

6. Necessidade constante de elogios e reconhecimento das pessoas

Você conhece alguém que sempre dá um jeito de compartilhar o que tem feito, suas conquistas, em troca de um elogio? Então, esse também é um sinal de que sua autoestima está baixa.

Isso o leva a ter um nível de dependência das pessoas do seu convívio a partir das atividades que você realiza. E, caso a pessoa não o elogie como você imagina, você não se sente valorizado por ela.

Por isso, esteja atento, caso conheça alguém que tenha essa característica, porque essa pessoa pode interpretar de maneira errada o seu sentimento por ela. Pode achar que você não se importa, pelo fato de não estar elogiando como ela gostaria.

7. Medo de ser rejeitado

Sobre o medo de ser rejeitado, preciso primeiro esclarecer uma coisa. Existem pessoas que realmente são rejeitadas, e as pessoas que imaginam ser rejeitadas. A maioria imagina que é rejeitada pelos sentimentos e feridas que carrega internamente.

Quando eu era criança e minha irmã nasceu, tive sentimento de rejeição. Achei que estava sendo deixado de lado pelos meus pais, por isso me senti assim. Mas, na realidade, isso não aconteceu, e, nesse caso, não fui rejeitado, mas imaginei que tivesse sido.

Portanto, faça a leitura certa sobre se realmente você foi rejeitado ou imaginou ter sido.

Esse sentimento ganha força quando sua autoestima está baixa. Dessa forma, você começa a criar mentalmente cenários de rejeição. A pessoa não o rejeitou, mas você acaba fazendo a leitura de que sim!

Muitas vezes isso acontece por coisas simples, como dar um bom-dia ou até mesmo devido a uma pergunta que não foi respondida. Avalie, então, se no seu dia a dia você está sendo rejeitado como está imaginando, ou se sua autoestima, por estar baixa, está mostrando cenários que não existem.

Agora que você já identificou os sintomas e as características de pessoas que estão com a autoestima baixa, falarei três coisas que você deve fazer para trabalhar isso e elevar a autoestima.

A primeira delas é: você precisa parar de se comparar com outras pessoas. Entenda, de uma vez por todas, que você tem seu valor, e tudo de que precisa para cumprir seu propósito de vida aqui na Terra, Deus já colocou dentro de você.

É uma covardia o que você tem feito consigo mesmo. Porque, quando você se compara com outra pessoa, a leitura nunca é a correta. Você nunca enxerga valor em suas coisas e sempre valoriza demais o que os outros têm. Mas isso é algo interno, e você precisa se libertar.

Pare de achar que o que as outras pessoas têm é maior ou melhor do que o que você tem. Você também tem valor! Deus o fez perfeito para o seu propósito!

O segundo ponto para melhorar a autoestima é parar de se culpar e de se fazer de vítima. Há pessoas que se culpam o tempo todo, como se fossem as únicas responsáveis por tudo de errado que acontecesse.

Entenda que na vida você comete erros que inclusive serão necessários para o seu crescimento. Quando traz esse entendimento para sua vida, sua relação com os erros muda. E você, a cada dia, se culpa menos e assume a responsabilidade diante das situações.

Uma coisa é assumir que errou e, diante disso, corrigir o erro; outra é identificar que errou e ficar sofrendo por isso. Elimine essa situação da sua vida e pare de se culpar e se vitimizar diante das situações do dia a dia.

O terceiro ponto que irá ajudá-lo a trabalhar a autoestima é celebrar suas conquistas. Não importa o tamanho delas, o importante é que sejam comemoradas de maneira proporcional. Existem várias coisas que você poderia estar celebrando, porém não está.

Por exemplo, quando você perde peso ou quando começa a ter maior domínio das suas emoções. E quando você recebe um elogio por algo que fez com excelência? Não é um bom motivo? Trouxe exemplos muitos simples, mas, se você estivesse com esse olhar, identificaria seu avanço e isso lhe traria um sentimento positivo, atingindo diretamente sua autoestima.

Finalizo este capítulo chamando a atenção para os pontos já citados, porque a baixa autoestima é um assunto de que pouco se fala, e por esse motivo muitos sofrem e não sabem.

Um exemplo disso é que muitas pessoas sabem que procrastinam, mas não conseguem identificar o porquê de não eliminarem isso de suas vidas. Simplesmente porque as ações tomadas são para procrastinação, mas o verdadeiro motivo é a baixa autoestima. Então, isso quer dizer que o remédio que você está tomando não está surtindo efeito porque o diagnóstico foi dado errado.

O melhor diagnóstico vem por meio do autoconhecimento; quanto mais você se conhece, mais rápido avança!

Capítulo 5

AS ESCRAVIDÕES QUE NOS ACOMPANHAM

Neste capítulo você irá entender sobre as escravi-dões que o têm acompanhado ao longo da vida, mas que você nunca identificou, e por isso não se preocupou em eliminá-las.

Você carrega isso simplesmente por não ter tido domínio emocional como deveria. E isso é fundamental para quem busca recomeçar da maneira correta. Portanto, quero compartilhar alguns pontos neste capítulo que precisam ser avaliados em sua vida.

A palavra "escravidão" remete a algo negativo, como a obrigação de fazer coisas que você não gostaria. Para algumas pessoas, remete a sofrimento e dor; para outras, a um aprisionamento. Existem também aqueles que entendem escravidão como uma vida completamente sem sentido, em que não há poder de escolha.

Preciso reforçar isso porque, ao final deste capítulo, esse pode ser seu sentimento depois de identificar o quanto a escravidão por algumas coisas o prejudica ao longo dos anos.

Existem vários tipos de escravidão. Em alguns casos, podemos destacar vícios que prejudicam diretamente, como bebida, drogas, pornografia, entre outros. Mas quero destacar três tipos de escravidão que atingem boa parte das pessoas sem que elas percebam.

1. Escravidão do dinheiro

Esse é um tipo de escravidão comum entre as pessoas para quem o dinheiro não é um servo, e sim o senhor. Ele determina tudo aquilo que a pessoa faz. Desde os lugares que ela frequenta até as coisas materiais que ela compra.

Talvez você não se enxergue como escravo do dinheiro, mas acha que sem ele não tem como pagar as contas ou fazer coisas. É a esse tipo de pensamento que estou me referindo.

A escravidão definida aqui é aquela que atrela quase tudo da vida ao dinheiro. Você acha que a felicidade se resume a ele, e que, se um dia tiver muito dinheiro, será feliz. Já posso adiantar que não será.

Conheço pessoas que têm muito dinheiro, e a felicidade delas não está atrelada a ele, mas aos valores e princípios que elas cumprem. O dinheiro é apenas uma consequência na vida, e não prioridade.

Pessoas escravas, em tudo que fazem, tornam o dinheiro prioridade. Esse é sempre o principal foco. *Quanto vou ganhar para fazer isso?* Essa é uma pergunta típica daqueles que são escravos do dinheiro.

Outro comportamento típico de quem é escravo do dinheiro é perder noites de sono preocupado com ele.

Não estou falando de pessoas que já estão devendo e sendo cobradas diariamente por seus credores. Estou falando daquelas que estão pagando as contas e mesmo assim sofrem com medo de não conseguir pagar no mês seguinte, como se já soubessem que não terão recursos financeiros para isso.

Aprendi, em um treinamento realizado pelo Instituto Destiny, com um dos meus mentores, Tiago Brunet, que *o dinheiro é um péssimo patrão, porém, um ótimo escravo.*

E quem determina isso? Você!

O dinheiro é importante, sim, e tenho clareza sobre isso. Porém, ele não pode tirar sua paz, não pode acabar com o seu dia, não pode interferir nos seus valores e princípios.

Faça uma reflexão: o quanto o dinheiro mexe com você?

Em quem você acredita mais? No Deus a quem você serve ou no deus do dinheiro?

Se acredita no Deus a quem você serve, por que o dinheiro mexe tanto com você a ponto de tirar a paz e você não conseguir se concentrar no que realmente é importante?

Reflita se o seu relacionamento com o dinheiro está acontecendo da maneira correta.

2. Escravidão do celular

Alguma vez você já saiu de algum lugar e de repente colocou a mão no bolso, ou abriu a bolsa, e percebeu que o celular não estava lá? Nessa hora veio uma mistura de sentimentos, em que algumas pessoas chegam a sentir um calafrio como se fossem entrar em desespero, com medo de terem perdido o celular ou até mesmo terem sido roubadas.

Não precisa ir muito longe. Vamos imaginar que você saiu de casa para trabalhar e, no meio do caminho, percebeu que não tinha levado o celular. O que você fez? Voltou? Foi trabalhar e deixou o celular em casa mesmo?

Comecei trazendo esse cenário para mostrar o quanto o celular mexe com algumas pessoas hoje em dia. É como se ele fosse uma parte do corpo, que, se arrancada, causa muita dor.

Não estou colocando em questão se o celular é necessário ou não, até porque sei o quanto ele facilita minha vida e o quanto me ajuda com questões importantes de minha rotina. Estou chamando a atenção para o quanto você pode ser escravo dele sem perceber. Os algoritmos, hoje em dia, determinam o que você vai ver e inclusive como vai ser o seu dia.

A gestão do tempo é uma dificuldade para muitas pessoas, porque não incluem na agenda diária o tempo que vão passar no celular. E não têm como incluir isso, porque o que o determina são os algoritmos, e não elas.

Quer entender melhor? Faça um teste!

Coloque o celular sobre a mesa e fique olhando para ele por dois minutos. Repare que começarão a chegar notificações de aplicativos do próprio celular – como promoções em aplicativos de alimentação, versículos da Bíblia para você meditar, sugestões de aplicativos de bem-estar. E as principais são as que você curtiu e as de comentários que você fez nas redes sociais. E tudo isso para você simplesmente pegar o aparelho na mão e começar a navegar nele.

O resultado final? Algumas pessoas que fizeram esse teste nem sequer conseguiram esperar os dois minutos. Na terceira notificação que apareceu na tela, já pegaram o celular e começaram a navegar. Simplesmente por serem escravas do aparelho.

3. Escravidão emocional

Essa, na minha visão, é a que mais prejudica as pessoas na rotina, atingindo diretamente suas decisões e seus relacionamentos com os demais. Dentro deste tópico, trarei uma lista de situações em que você, por ser escravo das emoções, não consegue ter o domínio que deveria.

O primeiro da lista é a **raiva**. Muitos, em momentos de raiva e de ira, perdem oportunidades, perdem acessos, encerram relacionamentos ou, pior, destroem tudo que estava sendo construído havia anos. Busque na memória pessoas que, por serem escravas das emoções, fazem coisas das quais mais tarde se arrependem e depois não têm mais como voltar atrás.

Trazendo isso para sua vida: já fez algo parecido? Já esteve diante de uma situação em que falou coisas que o prejudicaram e, depois que suas emoções se acalmaram, se arrependeu, porém não teve como voltar atrás?

Ser escravo das emoções não prejudica somente em momentos de raiva; existe uma extensão da raiva que é o segundo item dessa lista: **o orgulho**.

O orgulho geralmente aparece na sequência da raiva. Muitas pessoas, por falta de controle emocional, tomam decisões em um momento de raiva, e depois o orgulho as impede de pedir perdão ou desculpas. Mesmo quando identificam o erro. Uma coisa vai puxando a outra, e tudo isso pela falta de controle emocional. Ou seja, pela escravidão em que se vive.

O terceiro item da lista são **os momentos de alegria e felicidade**. Não se assuste, e você não leu errado, é isso mesmo que estou falando. Em momentos de alegria e felicidade, a falta de controle emocional o leva a falar coisas ou tomar decisões das quais você se arrepende profundamente depois.

Existem pessoas que, em momentos de alegria e felicidade, de alguma maneira buscam que os outros do seu convívio sintam o mesmo que ela. Prometem coisas ou assumem compromissos dos quais depois se arrependem, a ponto de se questionarem onde estavam com a cabeça.

Já fiz muito isso no passado e preciso me policiar para não repetir esse erro nos dias atuais. Pessoas com o coração generoso, porém, com falta de controle emocional, fazem muito isso. Portanto, cuidado com as decisões que você toma ou com as coisas quc promete em momentos de alegria e felicidade.

O quarto item da lista é a **indecisão**. Pessoas indecisas têm ligação direta com seu controle emocional, passando pela insegurança, gatilhos, traumas e crenças que carregam na vida.

Aqueles com esse padrão sofrem muito quando estão diante de situações em que precisam se posicionar ou tomar decisões. Internamente, é como se quisessem sumir e só voltar depois que as decisões já foram tomadas.

O mundo interno de uma pessoa indecisa é bem complexo, e ela vive uma instabilidade emocional muito grande. As decisões surgem e junto vêm a insegurança e o medo de tomar decisões e cometer um erro ou desagradar alguém. Principalmente quando estão diante de pessoas que amam e admiram.

O quinto ponto da lista é **a resiliência emocional**. O quanto você é uma pessoa resiliente de verdade?

Resiliência é a capacidade de voltar ao seu estado normal depois de um forte impacto. Nesse caso, um impacto emocional.

Existem muitas pessoas que ficam sofrendo, lamentando, querendo entender por que aquilo foi acontecer, sem perceber que os dias estão passando e elas simplesmente estão se prejudicando ainda mais.

Pessoas resilientes, diante de impactos emocionais, não querem saber o *porquê*, mas sim *como* resolver o quanto antes para que as coisas voltem ao normal. Ser resiliente emocionalmente requer muito autoconhecimento, e por meio dele o confronto interno que o levará a se questionar diante das situações.

Emocionalmente falando, existem mais pontos dentro dessa lista que o paralisam e prejudicam sua rotina. Mas o objetivo é chamar a atenção para o quanto você vem sendo escravo das situações sem perceber. Você não pode achar que isso é normal e que não consegue se libertar.

É possível se libertar, sim, mas o primeiro passo para que isso aconteça é conhecer sua história e identificar seus gatilhos por meio do autoconhecimento. Esse, contudo, não é um processo simples; leva em consideração a descoberta processual de coisas a seu respeito que nem sempre são legais de serem descobertas.

Você deve estar se perguntando como se libertar dessas escravidões citadas anteriormente e de outras que você também identificou sozinho. O primeiro ponto que se precisa entender é que a escravidão tem ligação direta com a clareza que se tem nas áreas da vida. Se você não busca ter equilíbrio em todas as áreas da vida, vai continuar sendo escravo.

Vou dar um exemplo simples: coloquei o celular como uma das coisas de que as pessoas se tornaram escravas, e você poderia me questionar: *Mas e antes de o celular existir? As pessoas não eram escravas, então?*

A resposta é sim e não!

Não eram escravas do celular porque ele ainda não existia, mas eram escravas de outras coisas. Por exemplo, a televisão. Muitos passavam horas na frente da TV sem conseguir sair da frente da tela. Então, o celular apenas substituiu algo sobre o qual a pessoa já não tinha domínio.

Puxe na memória coisas que você fazia antes e que foram substituídas pelo celular.

Antigamente existiam aqueles que eram viciados em olhar e-mails; a pessoa ficava a todo momento apertando a tecla F5 (para atualizar a página). Hoje substituíram o hábito de olhar e-mails pelo de olhar as mensagens nos diversos aplicativos que existem.

E, se você se aprofundar um pouco mais nesse assunto, vai perceber que no final isso só acontece porque você não tem controle emocional, e com isso falta equilíbrio em sua vida, levando à escravidão de algumas coisas.

Sei que ser escravo é horrível, mas é a realidade de muitos. E, partindo do princípio de que você só muda o que identifica, o primeiro passo foi dado. Você identificou muitas escravidões que o estão acompanhando.

Depois de identificar, você vai para o segundo passo: tomar uma decisão!

Para tomar essa decisão, primeiro você precisa aceitar que isso realmente ainda faz parte da sua vida e que o está prejudicando. Caso contrário, nada será alterado em sua rotina.

Tomar a decisão de mudar tem ligação com o nível de comprometimento que você tem consigo mesmo. É sempre mais fácil falar que não consegue ou que está "tentando". Costumo dizer que essa palavra "tentar" não existe, e serve apenas para nos deixar com algum conforto emocional.

"Tentar" é a desculpa que você dá para algo que não fez ou que não deseja de fato fazer. Porém, enquanto fala que está tentando, seu cérebro ouve isso e, emocionalmente, o deixa em uma posição confortável.

Por isso, não me fale que vai tentar; é melhor dizer que não vai fazer.

Assumir que não vai fazer poderá levá-lo, em algum momento, a um estado de inconformismo, e, quando se chega nesse estágio, a decisão finalmente é tomada e o cenário é revertido.

Quer se libertar das escravidões da sua vida? Siga estes três passos:

Primeiro, faça uma lista de tudo que você identificou de que é escravo, daquilo sem o que não consegue viver.

Segundo, pergunte-se internamente (reflexão) se sua vida vai realmente parar se você deixar de fazer isso ou se as histórias que você vinha contando a si mesmo eram verdadeiras.

E, terceiro, tome uma decisão! Mas essa decisão deve ser tomada porque você identificou que é o correto a ser feito. Pare de fazer as coisas porque alguém sinalizou ou por se preocupar com o que as pessoas podem achar.

Quando se trata de você, é preciso fazer o certo sempre!

Somente assim sua vida mudará e as coisas começarão a acontecer. Porque você entendeu a importância de fazer o que é certo para ter uma vida equilibrada e mais tranquila.

Finalizo este capítulo lembrando que a decisão está em suas mãos. Você tem o poder de decidir entre continuar levando todas essas escravidões para sua vida ou simplesmente recomeçar e eliminar tudo que identificou neste capítulo como escravidão.

Posso lhe garantir que é possível recomeçar eliminando todas essas escravidões, mas, para que isso ocorra, o quanto você está disposto a mudar esse padrão?

Responda a essa pergunta com sinceridade. Porque isso determinará o que acontecerá na sua vida nos próximos dias.

É possível, mas você precisa ser o primeiro a acreditar!

Capítulo 6

OS EFEITOS DO MEDO

Dentro do processo de recomeço, o "medo" é um dos principais assuntos a serem abordados, principalmente porque muitas pessoas não iniciaram seu processo de recomeço por medo de fazer da maneira errada.

O medo tem impedido muita gente de tomar decisões, de avançar na vida e até mesmo de cumprir seu propósito. Simplesmente porque a pessoa foi dominada por ele. Por isso, quero explicar um pouco como esse processo funciona, assim você vai aprender a lidar com ele de uma maneira mais tranquila, entendendo o seu processo e como ele age em sua vida.

A primeira coisa que você deverá entender é: o medo só existe para paralisar você. Sempre que ele chega em sua vida e o domina, esse é o caminho que você percorre, e, no final, lá está você, paralisado diante de diversas situações.

Por isso, entenda que existe diferença entre ter medo e ser uma pessoa prudente. Assim como o temor a Deus é diferente do medo. Você tem temor a Deus, e não medo de Deus. A Bíblia nos ensina, em Salmos 111:10, que "o temor do Senhor é o princípio da sabedoria; todos os que cumprem os seus preceitos revelam bom senso".

Por isso, desejo que, a partir de hoje, a prudência o acompanhe, e não mais o medo.

Pessoas prudentes são cautelosas em suas decisões, buscam sempre a sensatez, analisando constantemente os cenários diante de decisões que precisam ser tomadas. Uma pessoa prudente, em algumas situações, está mais preparada para os desafios que enfrenta, pela leitura que faz. Dificilmente você encontra alguém prudente agindo por impulso ou sendo dominado pelas emoções. Isso ajuda a prevenir, antecipar e errar menos nas decisões.

Acredito que ficou clara a importância de você ser uma pessoa prudente, por isso, agora vamos começar a falar um pouco sobre o medo. Repare que tudo começa com a insegurança. De repente chega uma proposta ou surge uma oportunidade, mas você sente um desconforto, uma espécie de frio na barriga, algo que não consegue identificar na hora, mas cuja definição seria dada pela palavra "insegurança" diante da situação.

Entenda que existem dois tipos de insegurança: pessoas que "são" inseguras e pessoas que "estão" inseguras.

No caso daquelas que "são" inseguras, existe uma ligação com as crenças que elas carregam, os gatilhos emocionais e inclusive a baixa autoestima, que é um dos capítulos deste livro. Por isso, se você é inseguro, precisa, por meio do autoconhecimento, identificar a origem dos gatilhos ou crenças, para que eles possam ser trabalhados e, assim, essa insegurança que o acompanha há anos deixe de existir.

O "estar" inseguro aponta para uma ligação com o estado atual. Sempre que estiver diante de uma mudança de nível, a insegurança vai chegar. Isso acontece porque você não sabe o que vai acontecer, ainda não tem o domínio da situação e não consegue fazer toda a leitura do cenário.

Recordo-me do dia, numa conversa na casa do Tiago, em que falei que estava procurando um apartamento para comprar em Barueri, e de repente a Jeanine me fez uma pergunta: *Por que você não vem morar em Alphaville? Por que não se muda direto pra cá?*

Na hora em que ela falou isso, a primeira coisa que senti foi medo. Respondi: *Imagina, Jeanine, ainda não é o momento.*

Internamente, estava com medo, achando que isso não teria como acontecer, e, se acontecesse, eu não teria condições de pagar. Porque aquele lugar não era para mim.

Eu só não sabia que a Jeanine estava sendo a primeira pessoa que Deus estava usando para falar comigo sobre a mudança de cidade. E, nessa hora, minha fé era para ter entrado em ação – porém, devido ao medo, isso não foi possível.

Fé e medo não caminham juntos! Ou você é uma pessoa de fé, ou você tem medo!

Quantas oportunidades já foram perdidas em sua vida simplesmente porque, no momento em que você teve a chance de dar o passo de fé, o medo se instalou e você recuou?

Quantas vezes Deus usou pessoas para falar com você, assim como usou a Jeanine para falar comigo, e o medo não permitiu que eu identificasse que era Ele que estava falando por meio da vida dela?

Eu trouxe essa parte da minha vida porque eu já tinha passado por isso diversas vezes sem perceber. E hoje estou sempre atento às coisas que escuto durante o dia.

Em outro momento, contarei os detalhes da história do apartamento, mas quero chamar a atenção pelo fato de o medo interferir diretamente em sua fé, impedindo-o de viver o que Deus tem para sua vida.

Outro exemplo em que o medo atua, mas de maneira diferente. Primeiro dia no seu trabalho, consegue se recordar?

Pode ser o primeiro dia em uma nova empresa: você vai lembrar que estava inseguro, por não conhecer as pessoas, não conhecer o território, não saber em quem poderia confiar, não saber como realmente as coisas acontecem por ali. E essa insegurança é tão grande a ponto de algumas pessoas chegarem a pensar em desistir do trabalho no primeiro dia simplesmente por conta de todos os pensamentos que vêm a sua mente naquele período.

Mas repare que, com o passar do tempo, essa insegurança foi diminuindo até desaparecer.

Porém, no dia em que surgir uma oportunidade de promoção, repare que a insegurança voltará a aparecer. E você experimentará uma mistura de sentimentos. De um lado, a alegria de ser promovido, do outro, a insegurança por não saber se vai dar conta do recado.

Por isso, entenda que, sempre que você estiver diante de uma mudança de nível, mudança geográfica, uma conversa difícil com alguém que você admira ou até mesmo diante da tomada de determinadas decisões, a insegurança vai aparecer.

E o que eu faço para lidar com ela?

Estas são três perguntas que você deve fazer a si mesmo e que vão ajudar:

1. Por que estou inseguro se já passei por situações parecidas antes?
2. Qual a pior coisa que pode acontecer se as coisas não derem certo?

3. E se tudo realmente der errado e eu não conseguir?

Esses três questionamentos vão motivar um cenário de mais razão e menos emoção, resultando em mais segurança diante do desafio que você está encarando. Lidar com essa insegurança é fundamental para o processo de recomeço – porque é inevitável, ela virá.

O processo de recomeço é algo que vai mexer com as suas emoções, por isso a insegurança vai aparecer, principalmente no início, no momento em que você decide recomeçar.

Algumas pessoas vão conseguir resolver a questão da insegurança e avançar nas decisões que precisam ser tomadas. No entanto, outras vão seguir para o próximo nível, chegando ao medo. A insegurança foi tomando força e tornando-se algo maior internamente; agora o medo chegou de vez.

O medo, quando chega, começa a trazer uma série de pensamentos negativos que levam a reflexões mais profundas. E, dentro desse processo, você já percebeu o quanto consegue construir mentalmente histórias que fazem todo o sentido?

Um exemplo simples sobre o seu relacionamento com o medo ocorria na infância, quando você fazia algo de errado e precisava contar a seus pais. Antes de contar, uma série de coisas passavam pela sua cabeça. "Meus pais vão brigar comigo, vão me bater, vão me colocar de castigo, nunca mais vou sair para brincar com meus amigos, meu Deus! E agora?"

Em algumas situações, vinha o desespero, porque você não sabia o que fazer, e os pensamentos não paravam de vir à mente. No final, quando não tinha mais como esconder, você chamava seus pais e lhes contava o que tinha acontecido, muitas vezes já chorando, prevendo o que poderia acontecer devido à força que os pensamentos tinham tomado em sua mente e ao domínio do medo sobre você.

Mas de uma coisa você esquece dentro desse processo: quase 90% dos pensamentos negativos foram em vão, e o desespero, desnecessário, porque as coisas não aconteceram como você imaginava.

Já sofreu com antecedência diante de uma situação em que estava com muito medo, imaginando uma série de coisas ruins e, no final, o desfecho foi completamente diferente do que você esperava? Pois é, esse é o processo do medo. Ele chega e o domina, você começa a sofrer – algumas pessoas chegam a passar mal – e, no final, as coisas não são exatamente da forma como sua mente estava imaginando.

Se esse processo não for interrompido, você sempre será dominado por ele, e permanecerá estagnado na vida.

Por isso, fiz uma lista com os medos mais comuns nas pessoas, e gostaria que você marcasse com um lápis quais deles você já teve em algum momento.

1. Medo de morrer.
2. Medo de falar em público.
3. Medo de errar.
4. Medo de fracassar.
5. Medo de ficar sem dinheiro.
6. Medo de ficar sozinho em um ambiente.
7. Medo de altura.
8. Medo de inseto.
9. Medo de não ser aceito e de ser rejeitado.
10. Medo de se arrepender.

Agora faça uma reflexão: dos dez tipos de medo citados acima, quantos já o paralisaram em diversas situações?

Quantas vezes você deixou de fazer algo porque um desses medos o impediu?

E se o medo não tivesse dominado você a ponto de paralisá-lo? Quem você seria hoje?

Pois é, a Luciana tem uma frase que ela repetia muito no passado, quando o medo a dominava em algumas situações: *Se estiver com medo, faça-o mesmo assim!* Porque no final você percebe que as coisas não eram como você estava imaginando.

E a questão para a qual quero chamar sua atenção é que, além de paralisá-lo, o medo o faz perder diversas oportunidades que surgem e que têm ligação direta com o seu futuro, principalmente com o cumprimento do seu propósito.

Você acha que cumprir meu propósito foi fácil?

Foram muitas as vezes em que tive medo e pensei em deixar pra lá e desistir do que precisava fazer.

Vou trazer um exemplo simples de um momento em minha vida. Em 2016, numa reunião com o Tiago, ele havia decidido realizar o Clube de Inteligência em um auditório em Alphaville. Até então, era realizado na igreja, mas ele tinha optado por trocar o local para ficar no mesmo padrão dos outros estados que já realizavam de maneira presencial, em auditórios ou centros de convenções. Nessa época eu tinha acabado de entrar para a equipe e estava ajudando na organização.

Recordo quando ele me pediu para fazer a abertura do evento, para preparar o público para sua entrada. No entanto, eu tinha muito medo de falar em público nessa época. Achava minha voz estranha, e estar à frente do palco, durante um evento tão importante como o Clube de Inteligência, potencializava ainda mais meu medo. O que eu fiz? Pedi para outra pessoa realizar a abertura.

O problema é que a pessoa que fez a abertura não foi tão bem quanto era necessário, e me lembro de que nesse momento veio um arrependimento muito forte. Afinal, o Tiago tinha me feito um pedido, e isso era algo que eu julgava ser importante; porém, por ter permitido que o medo me dominasse, acabei perdendo a oportunidade e ainda impactando a abertura do evento.

Lembro que nesse momento decidi que faria a abertura do evento seguinte e que não deixaria mais o medo me prejudicar, como ele havia feito até aquele momento. Foi uma decisão que tomei! Depois dessa decisão, passei por várias situações em que aconteceram coisas parecidas, o medo veio, mas não o deixei me dominar como já havia feito antes.

Agora, quero compartilhar algumas dicas para você enfrentar o medo e aprender a lidar sempre que ele aparecer. A primeira é sempre se questionar sobre os pensamentos que você tem e os sentimentos que carrega. Pare de achar que é normal ficar paralisado diante do medo, questione-se internamente. Pergunte a si mesmo se os pensamentos que está tendo realmente poderão acontecer ou se são apenas pensamentos normais no processo do medo.

A segunda dica é você entender que o medo sempre irá acompanhá-lo, e não tem como eliminá-lo 100% da sua vida. Isso muda completamente sua visão e facilita o processo. Sempre que você acha que pode eliminar algo da sua vida, trabalha para isso, mas, quando você sabe que não tem como eliminar aquilo, sem perceber você busca caminhos para diminuir o impacto que a situação lhe causa, buscando amenizar esse abalo.

Em 1 João 4:18-19 diz: "No amor não existe medo; antes, o perfeito amor lança fora o medo. Ora, o medo produz tormento; logo, aquele que teme não é aperfeiçoado no amor [...]".

Repare que, nesse versículo, a Bíblia nos ensina que no amor não existe medo, o perfeito amor lança fora o medo. Há dois pontos importantes nesse versículo. O primeiro é que no amor de Deus não existe medo. Isso quer dizer que, em momentos de medo em sua vida, se você se sente amado por Deus, o medo simplesmente começa a diminuir a ponto de ser lançado fora. Daí a importância de se sentir amado por Ele – porque assim você não terá medo em situações pelas quais passamos na vida.

O segundo ponto é que o medo sempre se apresentará; no entanto, o verdadeiro amor lança fora esse medo. Ele não existirá em você, apesar de haver circunstâncias que o levem a senti-lo. Ou seja, aprenda a conviver com o medo, e o melhor caminho para que ele traga menos impacto em sua vida é se sentir amado por Deus.

Terceira dica: tenha pessoas com quem você possa compartilhar seus medos – pessoas de confiança que o ouvirão e poderão ajudá-lo. Esse medo, enquanto está dentro de você, toma uma proporção enorme a ponto de paralisá-lo. Contudo, quando você tem alguém com quem possa compartilhar, ele começa a perder forças e, conforme a pessoa vai lhe falando o que ela pensa, o medo se torna insignificante.

A quarta dica é cultivar em sua mente sementes positivas que o impulsionam a avançar, e não coisas que fortalecem seus medos. Por isso, as pessoas com quem você convive e os lugares que você frequenta são tão importantes. Muitas sementes da sua mente são plantadas por pessoas do seu convívio ou em lugares onde você viu coisas que não acrescentam ou que não o ajudam a avançar.

E a quinta e última dica que vou compartilhar com você é esta: se, com todos os pontos já citados, você não conseguiu se libertar dos medos, pegue papel e caneta ou o seu bloco de notas do celular e comece a escrever tudo que está sentindo em decorrência do medo que o está paralisando. Escreva inclusive as consequências, ainda que nem tudo seja possível anotar.

Pelo fato de nosso pensamento ser abstrato, nem tudo será materializado no papel. No momento da escrita, internamente existe um confronto sobre o que será escrito, a ponto de você não conseguir escrever o que realmente não faz sentido. Por isso a escrita é tão importante.

No meu ponto de vista, se você entender a grandeza e a profundidade da segunda dica, que fala sobre o amor que Deus tem por nós, é o suficiente para resolver de vez os medos em sua vida. Mas se mesmo assim não conseguir, você conta com mais três dicas que o ajudarão a resolver essa questão de vez.

Convido-o a fazer uma reflexão no final deste capítulo.

Você tem vergonha do medo que sente?

Se a sua resposta for sim, tenho boas notícias. Você não é o único!

Milhões de pessoas sentem medo assim como você, mas o que as diferencia é justamente o que elas fazem com ele. Algumas se deixam ser dominadas a ponto de perder oportunidades ou deixam de tomar decisões que impactam diretamente o futuro. E outras simplesmente decidem avançar mesmo internamente estando com um turbilhão de pensamentos e sentimentos negativos.

Se Josué, que conviveu com Moisés e acompanhou de perto todos os milagres que Deus realizou com os hebreus e toda a proteção divina diante de tantos desafios, teve medo a ponto de Deus ter de falar várias vezes com ele, "Sê forte e corajoso", por que você acha que não vai ter medo?

Entenda isso e decida hoje mesmo tomar uma decisão:

"O MEDO NÃO VAI MAIS ME IMPEDIR DE AVANÇAR E VIVER MEU PROPÓSITO!"

"A PARTIR DE HOJE, O MEDO NÃO TERÁ MAIS DOMÍNIO SOBRE MIM!"

Declare isso e logo em seguida faça uma oração pedindo a Deus que o direcione nos próximos passos e nas decisões que precisa tomar, porque você quer viver a vontade d'Ele, e não mais a sua.

No próximo capítulo, você vai descobrir a maneira correta de recomeçar e viver tudo que Deus tem planejado para sua vida.

Capítulo 7

O RECOMEÇO PERFEITO

Ao longo desses anos, percebi que recomecei várias vezes. No entanto, os melhores recomeços que tive não tinham a ver com capacidade humana ou com intelecto. Por isso chamo este capítulo de "O recomeço perfeito".

Nenhum homem está apto a nos direcionar a um recomeço perfeito. O único capaz de proporcionar isso é Deus. Não podemos esquecer que apenas Deus é perfeito, e, sempre que você o inclui em seus projetos ou pede uma direção a Ele, vai se surpreender com o resultado final. Todas as vezes que você precisar recomeçar na vida, e Deus for aquele que está apontando a direção, pode ter certeza de que esse recomeço será perfeito!

Antes de compartilhar os detalhes dessa parte da minha vida, gostaria de destacar três pontos que são fundamentais em um recomeço perfeito.

O primeiro deles é que **Deus é o único que sabe o seu futuro e o que é melhor para você**. Por isso, sempre que realizamos uma oração pedindo uma direção, Ele não dá o que pedimos, e sim o que precisamos, porque já nos conhece e sabe o que temos no coração.

Segundo ponto: **Deus lhe entrega coisas que você poderá utilizar no momento atual e o conecta a pessoas que serão estratégicas na medida da sua obediência a Ele**. Conforme você obedece ao que Ele lhe entrega, tudo fará ainda mais sentido.

E o terceiro ponto é que **Deus conhece o seu coração**. Por isso, antes de derramar uma bênção em sua vida, Ele precisa prepará-lo, assim como tratá-lo nas questões emocionais e espirituais. A bênção antecipada vira maldição, porque você não sabe como lidar com ela e acaba se perdendo nas emoções, tomando decisões erradas que trazem impacto negativo em sua vida.

Faça uma reflexão sobre esses três pontos e, sempre que precisar recomeçar algo, não se esqueça de pedir direção por meio de orações. E fique atento às respostas que receberá. Aceite e obedeça a tudo que Ele direcionar a você por meio do Espírito Santo.

Em 2012 eu trabalhava em uma empresa do ramo moveleiro. Esse foi um dos períodos mais difíceis por que passei, no cargo de gerente de loja. Esta é a primeira vez que compartilho algo pessoal com riqueza de detalhes. Reservei para você, caro leitor, neste livro. Entrei nessa empresa em 1999 como vendedor e, como resultado do trabalho que realizei em 2005, fui promovido a gerente de loja – lembrando que esse era um dos meus grandes objetivos de vida, me tornar líder! Por isso, nunca me considerei gerente e sempre busquei me tornar líder.

Em 2005, assumi o cargo de gerente de loja e, sete anos depois, em 2012, me tornei diretor regional. A princípio, era o lugar mais alto a que eu poderia chegar naquela empresa, porque tratávamos direto com o dono da companhia; naquela época, não havia um cargo no nosso plano de carreira acima daquele. Imaginem eu com 33 anos de idade, como diretor regional, responsável por quase vinte lojas da empresa e assumindo uma região que tinha um dos maiores faturamentos. Aquele era o meu momento, eu tinha chegado ao topo, segundo a visão e mentalidade que eu tinha na época; estava muito feliz, apesar de muito temeroso e inseguro ao mesmo tempo. Mas a insegurança e o medo nunca foram coisas que me paralisaram quando o assunto era profissional.

Outro ponto importante é que, com a mentalidade que eu tinha, atrelava felicidade a dinheiro. Achava que, no dia em que tivesse dinheiro, seria uma pessoa muito mais feliz. Pensava que, para ter dinheiro, precisaria ter o cargo de diretor regional. Resumindo, eu literalmente estava no topo. Um bom cargo, um excelente salário e todos os benefícios que eu achava que vinham junto com o pacote. Por que eu disse que achava? Porque nem sempre as coisas acontecem como desejamos, e a realidade geralmente é bem diferente quando você muda de nível ou de fase.

Primeiro, ser promovido de gerente de loja a diretor regional era uma mudança de nível, e, sempre que você muda de nível, deve abrir mão de algumas coisas, trabalhar seu emocional e também pagar o preço. Estava numa loja em que eu alcançava excelentes resultados, era considerado um bom gerente e tinha uma equipe engajada; depois de muitos desafios, estávamos alinhados e crescendo a cada dia.

Isso quer dizer que eu saí de um lugar onde emocionalmente estava muito bem, para um nível no qual eu não sabia exatamente como as coisas funcionavam e como as pessoas se comportavam. Era tudo novo para mim, e, além disso, ainda tinha de lidar com a insegurança e o medo. Mas o trabalho nunca foi um problema, porque aprendi com meus pais a importância dele na vida do homem. E esse aprendizado foi por meio do exemplo dos dois, e não apenas por palavras ditas. Na vida, os maiores aprendizados e lembranças que temos são de coisas que vimos, e não que ouvimos, e isso você precisa entender.

E então os desafios começaram. Assumi uma região com faturamento alto e, consequentemente, um peso muito grande para a empresa. Logo, o nível de cobrança e exigência eram maiores também. Além disso, assumi a região onde eu trabalhava como gerente, e isso significava que os gerentes pares, agora, estavam sob minha liderança e responsabilidade.

Você já deve ter ouvido a frase "profeta de casa não tem honra". Essa afirmação só fez sentido quando assumi a região onde eu trabalhava e assim pude entender o desafio que é para um líder assumir a equipe de que ele já fazia parte. E o mais interessante é que, quando Jesus voltou para Jerusalém, quase foi jogado de um monte: "Então, todos os que estavam na sinagoga foram tomados de grande raiva ao ouvirem tais palavras. E, levantando-se, expulsaram a Jesus da cidade, levando-o até o topo da colina sobre a qual a cidade havia sido edificada, com o propósito de jogá-lo de lá, precipício abaixo. Todavia, Jesus passou por entre eles, e seguiu seu caminho. O poder da Palavra de Jesus" (Lc 4:28-30 – KJV).

Para aumentar meu desafio, quando assumi a região, a empresa descobriu uma falha no sistema e, devido a isso, uma série de procedimentos errados estavam sendo realizados pelas lojas, beneficiando algumas equipes de certa maneira. A questão foi que o dono da empresa, além de ficar decepcionado com o que foi descoberto, ficou muito nervoso com todos. E a região que mais tinha cometido procedimentos, a fim de levar vantagem, foi justamente a que eu havia assumido.

Apenas para que entendam o quanto meu desafio aumentou, parte dos gerentes das lojas mais relevantes e que tinham os melhores resultados foi desligada. Resumindo, um dos primeiros desafios que um líder tem quando assume um cargo é conectar-se com o time, construir uma ponte e trazer todos para o seu lado. Entretanto, no meu caso, esse era o menor dos problemas, porque o desafio passou a ser posicionar as pessoas nos lugares certos sem deixar os resultados caírem.

E como é possível fazer isso sem ter pessoas treinadas e qualificadas para assumir novos desafios? O processo de treinamento demora um pouco até que você realmente consiga enxergar os primeiros resultados, mas tempo era algo que eu não tinha. Os resultados não estavam aparecendo, o nível de cobrança aumentava cada vez mais e eu me perdia nas minhas emoções, achando que bastava trabalhar mais e me dedicar para que as coisas mudassem a meu favor.

Aquele era meu grande objetivo profissional naquela empresa. Trabalhei muito durante anos para chegar àquele cargo, logo, as coisas tinham que dar certo, era assim que eu pensava. Durante todo esse processo pelo qual eu estava passando, havia um amigo que estava sempre ao meu lado e, quando era possível, me ajudava. Eu o considerava como meu irmão!

Nessa época, eu tinha um relacionamento melhor com ele do que com minha própria irmã. Esse meu amigo tinha um primo que trabalhava em uma grande empresa, uma das melhores para se trabalhar no Brasil. E ele já tinha nos convidado para trabalhar com ele, mas, por causa da mentalidade e visão de futuro que eu tinha, achava inviável sair de uma companhia onde trabalhei por treze anos para recomeçar em outra.

Porém, um dia parei para pensar e analisar o plano de carreira da empresa onde eu estava, foi então que eu percebi que não tinha mais como crescer. A companhia que estava sendo oferecida tinha um plano de carreira muito maior e também me colocava em um outro nível profissional.

Em fevereiro de 2013, recebi o convite novamente e não aceitei. Finalmente, em abril do mesmo ano, encaminhei meu currículo para participar do processo seletivo, disputando quatro vagas com 1.500 candidatos. Quando encaminhei o currículo para a nova empresa, eu era diretor regional na atual companhia, um cargo que lutei por anos para conseguir. Na realidade, enviei o currículo só para ver no que ia dar. Esse foi meu pensamento na época, apesar de saber que era uma proposta irrecusável.

O que me chamou a atenção foi que, ao decidir enviar o currículo, as coisas começaram a desandar de vez na minha vida. Parece que o *start* foi dado nesse momento.

Mentalidade pequena e falta de gestão das emoções fizeram com que a cada dia as coisas piorassem. Cada vez mais os resultados não aconteciam, e a pressão aumentava.

Os conselheiros da época não estavam me ajudando como eu precisava, eu não tinha mentores para me dar uma direção, e aos poucos fui me distanciando dos amigos, porque só pensava em trabalho. Comecei a me tornar uma pessoa fria, arrogante e orgulhosa – e sabemos que uma das coisas que antecedem a queda é o orgulho.

Comecei a me distanciar da minha esposa, Luciana, e dos meus filhos a ponto de ela falar para sua mãe que iria se separar de mim. O problema é que eu não enxergava o que estava fazendo e não imaginava que isso passava pela cabeça dela. Eu estava literalmente caminhando para o fundo do poço. Essa foi a fase mais difícil da minha vida, e a mais dolorosa. Estava perdendo minha identidade, não tinha orgulho do profissional que eu era; devido à falta de resultados, criei uma bolha onde eu vivia sozinho e não conseguia entender por que estava passando por aquilo.

A coisa estava tão séria que me lembro de um dia estar na "minha bolha", sentado no sofá com o notebook ligado, e de repente me pegar olhando para mim mesmo. Foi como se eu estivesse de pé olhando para o Cleiton sentado. Então fiz algumas perguntas para aquela pessoa que estava sentada no sofá, que, teoricamente, era eu. Mas eu tinha certeza de que não era. E foi assim:

- Quem é você?
- Quem você está se tornando?
- Por que está se entregando desse jeito?
- Até quando vai suportar isso?

Essas foram as quatro perguntas que o Cleiton em pé fez para o Cleiton sentado. Excelentes perguntas, mas todas sem resposta. Eu não sabia o que responder e o que fazer para reverter o cenário. Meu orgulho não me permitia pedir ou aceitar ajuda. Só existia um lugar onde eu conseguia sentir um pouco de paz: na igreja.

Como eu era responsável pelas filiais da região da Lapa, um bairro de São Paulo, todas as vezes que realizava uma visita às lojas de lá, eu entrava em uma igreja católica que tinha na região. Lembro-me de entrar e ficar sentado no banco por longos minutos. Na realidade, eu entrava ali apenas para refletir sobre tudo que estava acontecendo na minha vida, mas não encontrava respostas.

Um dos gerentes da região da Lapa sempre me chamava para acompanhá-lo no culto em sua igreja. A igreja que ele frequentava era a Congregação Cristã do Brasil. Confesso que eu não gostava de ir a igrejas evangélicas nessa época, porque não concordava com algumas coisas. Mas, na minha infância, os vizinhos da casa de cima eram da Congregação Cristã, então cresci vendo eles saírem sempre muito arrumados para ir ao culto. Acredito que isso me fez ter uma rejeição menor, porque sempre tive um bom relacionamento com eles. Então, resolvi aceitar o convite do gerente e fui à igreja com ele.

Quando chegamos, a igreja estava muito cheia e não foi possível entrar, mas participei do culto mesmo do lado de fora. Na hora da palavra, Deus falou muito forte ao meu coração, disse que estava vindo um novo tempo em minha vida, mas que seria no tempo d'Ele, não no meu. Confesso que eu nunca tinha sentido Deus falar tão forte comigo como naquele dia. Foi algo tão potente que já cheguei em casa falando para Luciana: vou trabalhar na nova empresa, Deus acabou de confirmar.

Para resumir, o processo seletivo da nova empresa foi de seis meses. E, durante esse período, as coisas só pioraram. Os resultados não apareciam, a pressão aumentava, mas eu carregava uma mágoa dentro de mim por tudo que estava acontecendo, e, como Deus já tinha dito que estava vindo um novo tempo em minha vida, meu lado analítico me fez realizar um cálculo. Bom, como os resultados não estão aparecendo, é provável que eu seja retirado do cargo de diretor regional e seja convidado a retornar como gerente de loja. Mas não vou aceitar! Porque, antes disso, vou ser aprovado no processo seletivo da nova empresa e vou pedir demissão. Ou seja, antes de me tirarem, saio por cima pedindo demissão e indo para uma empresa maior.

Até porque Deus já tinha me falado isso e confirmado em outros cultos que frequentei.

Ele tinha um novo tempo para a minha vida, porém, esse novo tempo seria no tempo d'Ele, e não no meu. "Eu já tinha feito os cálculos mesmo, então, qualquer coisa que acontecesse, estaria tudo bem." Esse era o meu pensamento. Nunca falei isso para ninguém, mas Deus conhece nosso coração.

E nessa época cometi um erro grave, achei que tinha entendido o que Deus havia falado, só não me atentei que comunicação não é o que falamos, e sim o que o outro entende. Com Deus não é diferente. Ele disse uma coisa, eu entendi outra.

Resultado?

Quinze dias antes da entrevista final, recebi uma ligação do dono da empresa. Aquele foi um dos piores dias da minha vida, lembro-me da cena até hoje. Era um sábado, eu estava no estacionamento saindo de carro, porque tinha acabado de visitar as lojas de Carapicuíba, quando o telefone tocou e fui informado de que, a partir de segunda-feira, eu não seria mais diretor regional, devido à falta de resultados. Mas ele gostava muito do meu trabalho e gostaria que eu permanecesse na empresa, porém como gerente de loja.

Recordo-me de ter pedido trinta dias de férias para colocar a cabeça no lugar e me recuperar da pancada, para assim decidir o que faria. Apesar da notícia que recebi, na hora imaginei que esses trinta dias de férias seriam suficientes para realizar a entrevista final na nova empresa e não ter a necessidade de voltar como gerente de loja, afinal de contas, Deus já havia dito que viria um novo tempo em minha vida.

Depois de quinze dias de férias, fui fazer a entrevista final. Eram quatro vagas para doze entrevistados. No final do dia, recebi uma ligação do meu amigo informando que tinha falado com seu primo e que o diretor havia gostado muito da minha entrevista. Era quase certeza de que eu estaria entre os quatro aprovados. Como assim? Quase certeza? Claro que não. Deus já havia falado que tinha um novo tempo, eu já dava por certo que seria aprovado.

Os dias se passaram e não tive retorno da nova empresa. Então precisei escolher uma loja e voltar como gerente. Escolhi uma que eu já tinha gerenciado e conhecia bem, afinal, nesse momento, eu estava sem foco e só pensava na nova empresa. Não conseguia mais me enxergar na empresa antiga.

Finalmente recebi o telefonema do RH, com a notícia que eu tanto esperava, quarenta dias depois. O problema é que a notícia veio de uma maneira inesperada. Não fui aprovado! Gostaram muito de mim, mas ficaria para uma outra oportunidade. Como assim? Então, o que Deus fala não conta mais?

A primeira coisa que eu fiz ao desligar o telefone foi questionar Deus e trocar de roupa para ir ao culto. Queria questioná-Lo na igreja. O problema é que, quando cheguei lá, a palavra veio novamente da mesma maneira. Era a quarta vez que eu recebia aquela palavra. *Deus tem um novo tempo em sua vida, o que o Diabo está fazendo é apenas um rascunho, porque ele não sabe o que Deus vai fazer em sua vida. Um tempo de muito crescimento e prosperidade, porém, no tempo d'Ele.*

Senti Deus falando comigo novamente, mas não fazia sentido. Eu já tinha recebido a devolutiva de que não havia passado, deveria permanecer na empresa onde eu estava. Até porque não tinha falado nada com ninguém sobre esse processo. Somente minha família sabia.

Até que, um dia, eu estava sentado na frente do computador, novamente como gerente de loja, e foi como se alguém parasse do meu lado e começasse a fazer algumas perguntas:

Por que está triste?

Eu disse: porque gostaria de trabalhar em outra empresa.

Você acha que merece?

Respondi que sim.

E então a voz me perguntou:

Como você merece se não está dando valor a tudo que Eu te dei? Você tem um bom emprego, vida financeira estabilizada, apartamento quitado, dois carros, um bom convênio e um excelente salário. E mesmo assim está triste querendo mais.

Nesse momento caiu a ficha da minha ingratidão, e percebi o quanto estava sendo egoísta. Peguei o telefone na hora, liguei para Luciana e compartilhei a experiência que acabara de ter com o Espírito Santo. Hoje sei que foi Ele. A partir daquele momento, sentimos paz, e meu coração se acalmou depois de identificar o que Deus estava querendo falar – e o erro que eu estava cometendo.

Lembro que falei para a Luciana: se ainda não chegou o tempo de sair dessa empresa, vou dar o meu melhor e voltar a ocupar o cargo de diretor regional, porque acredito que Deus ainda tem um propósito aqui.

Isso aconteceu em uma terça-feira, e, quando foi no final do dia, recebi a ligação de que fora aprovado para trabalhar na empresa que eu tanto queria, só que em uma outra bandeira. Eu estava sendo contratado para trabalhar em uma das melhores empresas do Brasil. Deus só permitiu minha saída quando tive o discernimento do erro que estava cometendo e do quanto estava sendo ingrato. Existem processos na vida em que somos inseridos por Deus, porque Ele tem um propósito maior e quer nos ensinar algo. Quando você entende o que Ele quer lhe ensinar, você sai do processo.

E então, no dia 12 de novembro de 2013, recomecei a vida profissional em uma nova empresa. Eu estava realizando um sonho.

Ah! Mas tem algo que preciso dividir com você.

Sabe o novo tempo do qual Deus tinha falado comigo na palavra? Não era do trabalho que Ele estava falando. Em um domingo, estávamos em casa assistindo ao programa do Geraldo Luis, e haviam feito uma matéria sobre uma menina que tinha o sonho de conhecer a Cassiane (ministra de louvor). O programa organizou tudo e preparou o encontro. Quando a menina deparou com a Cassiane, começou a chorar. Nesse momento a Luciana me falou: "Até eu, se encontrasse a Cassiane, choraria".

Isso me chamou atenção, porque a Luciana nunca teve admiração nesse nível por alguém famoso. E então bolei um plano (pelo menos achei que era um plano meu) e pensei: vou dar um jeito de proporcionar esse encontro entre as duas. Lembrei que uma amiga nossa (minha e da Luciana), da época de escola, chamada Gisele, conhecia e andava com a Cassiane. Resolvi entrar em contato com ela após dezessete anos sem nos falarmos. Fiz um convite para que ela almoçasse conosco, em nossa casa.

Para resumir a história, nesse almoço a Gisele nos convidou para conhecer a igreja que ela estava frequentando em Alphaville. Aceitei o convite, até porque o "meu plano" estava dando certo e as coisas estavam caminhando como eu achava que tinha planejado. Na outra semana, em um domingo à tarde, a Luciana e eu estávamos na igreja.

Quando o culto começou, as luzes se apagaram e teve início o louvor. Porém, eu nunca tinha ido a uma igreja onde as luzes se apagavam, com música de qualidade tocando ao vivo. Achei estranho nos primeiros minutos, mas fui gostando do que estava vendo e ouvindo. O pastor Jairo trouxe uma palavra que mexeu comigo. Primeiro ele perguntou quem estava ali pela primeira vez e se já tinha frequentado outras igrejas.

Levantei a mão, assim como várias outras pessoas, e depois ele disse: *Esta provavelmente não é a sua igreja, porque você deve estar procurando uma igreja perfeita, e igreja perfeita não existe. Apenas Deus é perfeito!*

Sempre tive dificuldade com pastor, devido às experiências pelas quais eu já tinha passado ou coisas que já tinha visto. Mas com ele foi diferente. Porque não o enxerguei como um pastor, e sim como líder, empresário, empreendedor. E isso me fez ouvir tudo que ele ministrou naquele dia, e que mexeu muito comigo.

A pastora Cassiane entrou depois e cantou um louvor, e me recordo de que, conforme ela cantava, eu me emocionava e começava a chorar. A questão é que, até aquele momento, eu não tinha motivo para chorar. Não sabia por que estava chorando. Estava em uma fase boa da vida, não tinha motivos (mentalidade da época). O Espírito Santo tinha me tocado, e eu não tinha entendido ainda o que estava acontecendo. Chorei praticamente o culto todo.

Ao final, depois de me restabelecer emocionalmente, fomos até a pastora Cassiane para que minha esposa pudesse conhecê-la. E a pastora nos recebeu com muita atenção e deu um abraço caloroso em Luciana. Recordo que ela estava muito tensa e, depois do abraço, se acalmou.

O meu plano tinha dado certo, correto?

Claro que não! Os planos de Deus estavam se cumprindo em minha vida. Aquele foi o dia em que tive uma experiência muito forte com Deus e com o Espírito Santo, e foi o dia em que comecei a conhecer de verdade quem era Jesus e todo o amor que Ele tem por mim, mesmo sem que eu o conhecesse de verdade. Havia um novo tempo de Deus em minha vida, e isso representava a minha conversão e a da minha família.

Eu achava que entendera o que Deus tinha me falado nas palavras que recebi, mas entendi errado.

Os planos que Ele tinha eram muito maiores do que eu poderia imaginar. A comunicação com Deus não é muito diferente da nossa comunicação. Não se trata do que Ele fala, e sim do que entendemos. O problema é que, na maioria das vezes, entendemos errado por trazer para as nossas vontades e desejos emocionais. E por isso sempre somos surpreendidos com o que Ele nos entrega.

No dia 21 de fevereiro de 2016, houve um novo recomeço em minha vida. Foi nesse dia que desci às águas junto com a Luciana, o Vinicius e o Artur. Nesse dia fomos batizados. A decisão mais importante que já tomamos e o recomeço mais assertivo que fizemos na vida.

Por isso, se você quiser recomeçar da maneira certa, esteja alinhado com o que Deus tem para você. Esteja atento e não cometa o erro que cometi, quando Ele falou uma coisa e entendi outra, começando a agir da minha forma e fazendo as coisas do meu jeito. Deus tinha algo muito maior para a minha vida, mas a mentalidade que eu tinha me impediu de entender. Os planos que Deus tem para a sua vida são muito maiores do que você imagina, você só precisa estar sensível à voz d'Ele e ser obediente.

Se fizer essas duas coisas, todos os seus recomeços serão bem-sucedidos.

Finalizo este livro explicando como estar sensível à voz de Deus e também como permanecer em obediência.

Para estar sensível à voz de Deus é importante que entenda que Ele fala com você todos os dias, mas você não o escuta todos os dias.

Principalmente quando três coisas acontecem:

A primeira é quando a insegurança chega e você não consegue tomar uma decisão porque tem medo de errar ou até mesmo decepcionar pessoas que você admira.

A segunda é quando o medo te domina ao ponto de deixá-lo paralisado, deixando a sua vida estagnada sem nenhum tipo de avanço.

E a terceira é a desistência que te acompanha diante de desafios ou problemas que surgem te impedindo de viver o que Deus tem para você.

Essas três coisas que citei te impedem de ouvir a voz de Deus e você não percebe. Porque por mais que Ele fale com você, a insegurança lhe faz achar que não vai conseguir, o medo te paralisa e automaticamente você desiste.

Eu passei por isso e posso te garantir que uma das coisas que me ajudaram a vencer esse processo foi a decisão de viver em obediência a tudo que Deus me direcionou.

Principalmente quando não fazia sentido ou nos momentos de insegurança e medo.

Viver em obediência é um grande desafio, porque muitas vezes Deus nos pede coisas que não queremos fazer, ou pior, não achamos que somos capazes de realizar.

Além disso, permanecer em obediência torna-se mais difícil quando surgem propostas que a princípio são excelentes, mas na realidade só servem para distrair e tirá-lo do foco.

Se você não quer se distrair ou tomar decisões erradas e assim permanecer em obediência, só existe um caminho:

Pergunte direto a Deus!

Não tomo decisões sem orar antes perguntando a Deus qual o melhor caminho.

Além disso não faço nada sem falar com a Luciana, porque ela muitas vezes é usada para me direcionar.

Recentemente recebi uma proposta de um grande empresário para realizar treinamentos mensais para um grupo de mentorandos nos Estados Unidos, uma proposta irrecusável aos meus olhos, seria uma grande oportunidade para criar conexões na América.

Quando eu recebi a proposta, falei para o empresário que também é meu amigo que precisava orar e falar com a Luciana, além de falar com um dos meus mentores também.

Percebi que ele não entendeu direito o que eu falei, mas respeitou.

Mesmo sentindo paz no meu coração e tendo certeza de que aquela proposta era algo de Deus, eu não aceitei sem orar e perguntar a Deus se deveria fechar.

VOCÊ NÃO ERRA QUANDO TEM DÚVIDA, OS MAIORES ERROS ACONTECEM EM MOMENTOS DE CERTEZA. NA DÚVIDA VOCÊ PEDE AJUDA, NA CERTEZA NÃO!

Os maiores erros que cometi na vida foram nos momentos de certeza.

Quando não precisei pensar muito para tomar uma decisão porque eu tinha certeza do que estava fazendo; quando tomei decisões sem perguntar para Deus se era para fazer, já que eu tinha certeza de que era algo que vinha d'Ele, no entanto, muitas vezes não era.

Por isso tome cuidado com os momentos de certeza em sua vida, porque na dúvida você pergunta, mas na certeza você acha que não precisa escutar ninguém.

Para tudo que for fazer em sua vida crie o hábito de orar e perguntar a Deus e fique sensível à voz d'Ele porque Ele responde. Principalmente através de pessoas ou até mesmo de um livro como esse. Tenho certeza de que identificou vários pontos que precisam ser recomeçados em sua vida, e você não sabia por onde começar.

Agora já sabe, inclusive como fazer da maneira certa!

Permita-se viver um recomeço perfeito, sendo direcionado pelo único que conhece o seu futuro e é capaz de te conduzir no caminho correto para você viver tudo que Ele tem preparado para sua vida no cumprimento do seu propósito aqui na terra.

Eu sou prova disso, e se Ele fez comigo, certamente fará com você também.

Acredite sempre.

Que Deus te dê sabedoria, discernimento e o entendimento que precisa para colocar em prática tudo que você aprendeu neste livro!

Deus abençoe a sua vida!